André de Vries

ISVW Uitgevers
Dodeweg 8
3832 RD Leusden
www.isvw.nl

Titel: Even denken. Op gesprek bij de filosoof
Auteur: André de Vries
Redactie: Hermien Lankhorst
Vormgeving: Henk Droog I Platland

1e druk
© ISVW Uitgevers, Leusden 2015
ISBN: 9789491693472
NUR: 730

FSC-papier is papier dat het keurmerk van de Forest Stewardship Council (FSC) mag dragen. Voor dit boek is het FSC-gecertificeerde Munkenprint gebruikt. Bij dit papier is het zeker dat de productie niet tot bosvernietiging heeft geleid. Een flink deel van de grondstof is afkomstig uit bossen en plantages die worden beheerd volgens de regels van het FSC. Van het andere deel van de grondstof is vastgesteld dat hiervoor geen houtkap in de laatste resten waardevol oerbos (oorspronkelijke bos) heeft plaatsgevonden. Dit papier is 100% chloor- en zwavelvrij gebleekt en wordt geleverd door Artic Paper Munkedals AB, Zweden.

Even denken
Op gesprek bij de filosoof

André de Vries

ISVW UITGEVERS

Inhoudsopgave

Voorwoord

Het boek dat u in uw handen heeft, richt zich op twee doelgroepen. Enerzijds is het bedoeld voor mensen die in retraite willen gaan of filosofische consulten willen afnemen. Voor hen zijn de hoofdstukken I tot en met IV het meest interessant. Tezamen vormen deze hoofdstukken het eerste deel van het boek. Anderzijds is het boek bedoeld voor diegenen die kennis willen nemen van de filosofische basis van de retraite en de bijbehorende consulten. Te denken valt aan collegae filosofisch consulenten, filosofen en andere geïnteresseerden in de hedendaagse praktische filosofie. Voor hen is deel 2 van dit boek, bestaande uit de hoofdstukken V en VI, geschreven.

In de hoofdstukken I, III en IV worden drie concrete consulten gepresenteerd die zich afspelen in de verschillende sferen waaruit het leven is opgebouwd. Ze zijn bedoeld om de filosofische consultatiepraktijk, waarin de Aristonide methodiek wordt gebruikt, in volle actie te zien. (Wat de Aristonide methodiek inhoudt zal gaandeweg duidelijk worden.) Vertellen over wat er zich afspeelt of zou moeten afspelen in de gespreksruimte van een filosofisch consulent geeft een ander perspectief dan kijken naar een consult dat zich, met alles wat daarbij hoort, voor je ogen voltrekt. In dit boek is gekozen om de lezer op heel directe wijze deelgenoot te laten zijn van een drietal gesprekken en zo te tonen wat een consult volgens de Aristonide methodiek kan inhouden.

De drie consulten zijn met opzet fictief van aard en zijn zo gestileerd dat de markante kenmerken en mogelijkheden van de

Aristonide methodiek maximaal tot hun recht komen. Dat het etaleren van een methode door middel van casuïstiek ook bepaalde ruis en zekere beperkingen met zich meebrengt is voor lief genomen. De consulten mogen weliswaar een fictief karakter hebben, dat neemt niet weg dat ze hun basis ontlenen aan gesprekken die werkelijk hebben plaatsgevonden. Opgemerkt moet worden dat consulten in de praktijk doorgaans minder gepolijst verlopen en dat het specifieke karakter van de Aristonide methodiek meestal wat moeilijker is waar te nemen.

De casus die in hoofdstuk I aan de orde komt, betreft een privéprobleem waarbij serieuze denkhulp is gewenst. Een jonge vrouw van 34 jaar oud wordt door haar zwangerschap gedwongen terug te zien op een ingrijpende gebeurtenis uit haar jeugd. De hulp van een filosofisch consulent wordt ingeroepen om mee te denken over wat het betekent om (groot)ouder te zijn en hoe er aangekeken zou kunnen worden tegen seksualiteit binnen het gezin.

In hoofdstuk II (*Van filosoof tot filosofisch consulent*) wordt ingegaan op wat de Aristonide methode inhoudt en waarop ze is gebaseerd. Dit theoretische hoofdstuk is nodig om de hoofdstukken I, III en IV, de hoofdstukken waarin concrete consulten aan de orde komen, in het juiste perspectief te kunnen plaatsen. Lezers die al bekend zijn met filosofische consultaties volgens de Aristonide methodiek kunnen dit theoretische gedeelte eventueel overslaan.

De casus die in hoofdstuk III wordt gepresenteerd, gaat over een gynaecoloog met een christelijke achtergrond die regelmatig, in samenwerking met collegae, beslissingen moet nemen over leven en dood. De verschillende ethische zienswijzen van het team in het ziekenhuis, waar hij deel van uitmaakt, doen hem de stap naar een filosofisch consulent zetten. We hebben dus te maken met de problematiek van een professional uit onze maatschappij.

Hoofdstuk IV brengt een groepsgesprek in beeld dat plaatsvindt tijdens een wandeling. De inhoud van het gesprek is een onderdeel van de politieke dimensie van het menselijk bestaan.

Duidelijk wordt dat vanuit verschillende invalshoeken en belangen aan de politieke sfeer kan worden deelgenomen en over dit domein van ons bestaan kan worden nagedacht. De verschillende invalshoeken krijgen tijdens de filosofische wandeling gestalte door een minister, een docent en een moeder een gesprek te laten voeren onder begeleiding van een filosofisch consulent. Het onderwerp is de (on)mogelijkheid van waardevrij onderwijs. In het verlengde van dit gesprek wordt ingegaan op de ingrediënten die een filosofische wandeling als werkvorm met zich mee kan brengen.

Na de casusbesprekingen in het eerste deel van het boek volgen in het tweede deel twee theoretische hoofdstukken. Ze zijn bedoeld voor diegenen die zich verder willen verdiepen in de aard en de plaats in de werkelijkheid van filosofische consulten. Degenen die overwegen 'losse' consulten af te nemen of overwegen in retraite te gaan en geen diepgaande interesse hebben in de bijbehorende filosofische *achtergrond*, kunnen deze hoofdstukken rustig laten voor wat ze zijn.

Het onderwerp 'tijd' in relatie tot het filosofisch consult en de filosofische retraite staat centraal in hoofdstuk V (*Tijd voor ontspanning*). Hoewel beschouwingen over deze thematiek een sterk theoretisch-filosofisch karakter hebben, zijn de praktische consequenties onvermijdelijk voel- en zichtbaar. Tevens wordt ingegaan op de rol van ontspannende activiteiten tijdens een retraite en het nauwelijks te overschatten aandeel dat het onbewuste heeft bij de voortzetting van het denkwerk.

In hoofdstuk VI (*Tijd voor bezinning op het gebruik van een methode*) wordt duidelijk welke inhoudelijke redenen van belang zijn geweest om überhaupt een methode als uitgangspunt te nemen voor filosofische consultaties (al dan niet onderdeel uitmakend van een retraite). De filosofische consultaties volgens de Aristonide methodiek lijken op dit moment de tand des tijds het beste te kunnen doorstaan, zo zal aannemelijk worden gemaakt.

Een van de doelstellingen van dit boek is om de waarde en de rechtvaardiging van de Aristonide methodiek te laten zien. Gekozen is om dat op zo'n manier te doen dat een breed publiek hier kennis van kan nemen. Tegelijkertijd is het boek ook geschreven om deze methodiek verder uit te breiden en in een ruimere context te plaatsen, namelijk die van de filosofische retraite. Wellicht treedt er door het zetten van deze stap een nieuw tijdperk aan voor de Aristonide methodiek. Tijdens een filosofische retraite kunnen naast individuele gesprekken ook groepsgesprekken als werkvorm worden gekozen. De groepsgesprekken kunnen in de spreekkamer van de consulent plaatsvinden maar eveneens buiten tijdens een wandeling worden gevoerd.

Nog even iets over de titel *Even denken*. Het gaat hierbij niet geheel toevallig om een tijdsaanduiding, 'even'. Tijd (om na te denken) speelt een belangrijke rol in dit boek. Op zijn minst op de volgende drie manieren:

1. *Wanneer* ga je in een filosofische retraite en *wanneer* ga je naar de filosofisch consulent? *Wanneer* is het moment, de tijd, daar?

2. Een filosofische retraite is een relatief korte *periode* in een mensenleven waarin rustig maar intensief over zaken kan worden nagedacht of vooruitgedacht. Het filosofisch consult, dat onderdeel uitmaakt van een retraite, kan als een werkplaats worden gezien: een werkplaats waar met ideeën, argumenten, stellingen et cetera gestoeid en gebouwd kan worden. Buiten de filosofische consulten om kunnen deelnemers zelf werken, rust nemen, het lichaam aan het werk zetten of gewoon genieten van een kopje koffie. Ook aandacht voor de niet-intellectuele aspecten van het menselijk bestaan draagt bij aan een optimaal denkklimaat.

3. Het filosofisch consult is een gesprek dat nieuwe denksporen opent en mogelijk andere denksporen afsluit. Er ontstaat door het voeren van een gesprek en het uitwisselen van concepten, theorieën et cetera een zelfstandig tijdsverloop met een eigen '*eerder*' en een eigen '*later*'. Het gaat hier niet om een (psychologische) tijd die wordt beleefd en

ook niet om een (klok)tijd die kan worden gemeten, maar om de abstracte tijd waarin het denken zelf plaatsvindt en gedijt.

Alle drie de manieren waarop de tijd een rol speelt krijgen aandacht in dit boek. Ze dragen bij aan de karakterisering van het werk dat zich afspeelt tijdens een filosofisch consult of een filosofische retraite.

Tot slot, de literatuurlijst achter in het boek geeft niet alleen aan welke literatuur is gebruikt, maar kan ook worden ingezet voor verdere studie over het filosofisch consult en de filosofische retraite.

Veel lees- en studieplezier toegewenst!

André de Vries

EVEN DENKEN

Inleiding

Steeds vaker kiezen mensen voor een retraite in een klooster of in een daarvoor opgericht centrum. Ze hebben behoefte om levensvragen in een rustige en passende omgeving te doordenken, een pas op de plaats te maken of te werken aan een tekst of een ander project. De praktijk leert dat juist de afwisseling van serieuze inspanningen en ontspannende activiteiten bijdraagt aan het bereiken van het gestelde doel. Ontspannende activiteiten zoals fietsen, sporten, het spelen van spelletjes of het lezen van luchtige lectuur zorgen ervoor dat men weer met nieuwe energie en een frisse blik aan de slag kan gaan. Het ontmoeten van nieuwe mensen of het verrichten van arbeid waar men in het dagelijks leven niet aan toekomt, blijken een inspirerende werking te hebben en mensen op een ander spoor te zetten.

Een filosofische retraite beoogt (als nieuw fenomeen) de *kwaliteit* van het eigen denkwerk centraal te stellen en deze te verhogen. De begeleiding is niet in handen van een geestelijke maar van een filosoof (filosofisch consulent) die, al naar gelang de behoefte, kan worden geconsulteerd. De inhoud van een consult heeft ook niet noodzakelijkerwijs een religieuze inslag en kan de meest uiteenlopende thema's of zienswijzen herbergen. De gesprekken met de filosofisch consulent worden niet vanuit een bepaalde (kerkelijke) hiërarchie gevoerd maar vinden plaats op basis van gelijkwaardigheid. Dit alles onder het motto: 'Denk zelf en de filosoof denkt met u mee!'

Tijdens de filosofische consulten denkt de filosoof mee met de puzzels van zijn of haar gesprekspartner. Mensen kunnen bij een consulent terecht met vraagstukken die om een concrete oplossing vragen maar waarbij serieuze denkhulp is gewenst. Echter, mensen zijn ook welkom om 'gewoon' over een bepaald onderwerp dieper na te denken onder begeleiding van een vakdenker. De verschillende levenssferen waarin de mens vertoeft, kunnen daar aanleiding toe geven. Steeds zal de filosofisch consulent samen met de ander bekijken welke soort puzzels er opgelost dienen te worden teneinde het denkwerk van die ander verder te brengen.

Het soort vragen

Met wat voor soort vragen kunnen mensen bij de filosofisch consulent terecht? Hieronder volgen enkele voorbeelden uit verschillende levenssferen. Wellicht is deze verdeling wat arbitrair. Vaak lopen de onderscheiden sferen in elkaar over of overlappen ze elkaar gedeeltelijk.

In de privésfeer:
- Hoe bied ik mijn kinderen een goede opvoeding? Wat moet ik doen of juist laten?
- Ik heb homoseksuele gevoelens die strijdig zijn met mijn religieuze opvattingen. Hoe nu verder?
- Ik begrijp niet waarom ik maar in de rouw blijf.

In de maatschappelijke sfeer:
- Ik ben arts en krijg met enige regelmaat het verzoek om hulp bij zelfdoding te bieden. Wanneer ga ik op dat verzoek in en wanneer niet?
- Als voorzitter van een voetbalvereniging wil ik nadenken over het gedrag van ouders langs de zijlijn. Welke grenzen moet ik stellen? Hoe kan ik dat nagaan?
- De buurt waarin ik woon is aan het verloederen. Is het mijn plicht om hier iets aan te doen?

In de bedrijfsmatige sfeer:

- Reeds enkele jaren ben ik CEO van een groot bedrijf. In toe-nemende mate heb ik twijfels over de manier waarop we reclame maken voor onze producten. Mijn twijfels hebben betrekking op de integriteit van onze campagnes. Kunt u mij helpen bij een ethische heroriëntatie?
- Hoe moet ik omgaan met het spanningsveld tussen onze bedrijfsbelangen en maatschappelijke belangen?
- Binnen onze organisatie wordt er nogal stevig gepest. Het is mijn taak om hier beleid voor te ontwikkelen. Ik wil graag dat u met mij meedenkt. Is dit mogelijk?

In de politieke sfeer:

- Jarenlang heb ik me ingespannen voor een bepaalde politieke partij. Om onduidelijke redenen voel ik me steeds minder thuis bij deze club. Is mijn wereldbeeld veranderd? Past de partij minder goed in de huidige samenleving? Graag zou ik over deze vragen wat dieper nadenken. Kunt u me hierbij helpen?
- Als burgemeester ben ik verantwoordelijk voor de veiligheid van burgers. Door de opkomst van nieuwe media, mobiele telefoons et cetera heeft het concept 'veiligheid' een nieuwe dimensie gekregen. Om mijn functie naar behoren te kunnen blijven vervullen zou ik het concept 'veiligheid' opnieuw gestalte willen geven. Hierbij kan ik denkhulp goed gebruiken. Kan ik hiervoor bij u terecht?
- Ik zit in de gemeenteraad voor een kleine politieke partij. Mijn gevoel zegt dat een intensieve samenwerking met een andere kleine partij goed en waardevol zou zijn. Graag wil ik rationeel onderzoeken of mijn gevoel ook klopt. Ben ik hiervoor bij u aan het juiste adres?

Het begrip 'sfeer' of 'levenssfeer' heeft, zeker sinds het werk van de Duitse filosoof Peter Sloterdijk, een sterke filosofische lading. In de onderverdeling van de vragen waarmee mensen in een praktijk terechtkunnen, is het begrip 'sfeer' ontleend aan het dagelijks taalgebruik.

De vragen waarmee bezoekers komen zijn heel divers. Maar uiteindelijk zijn het de houding en de wensen die bepalen of iemand op zijn plek is bij de filosofisch consulent. Voor alle duidelijkheid, de filosofische gesprekken zijn niet zozeer bedoeld voor het bieden van advies of psychologische hulp. De consulten bieden eerder een gelegenheid om denksporen uit te diepen, nieuwe ideeën te beproeven en bestaande opvattingen te herijken. De verbetering van de kwaliteit van het denkwerk staat daarbij centraal.

De werkwijze die in dit boek wordt belicht, is uitgebreid terug te vinden in *Het filosofisch consult* (2014) en het oudere *Klein Handboek Filosofische consultatie volgens de Aristonide methodiek*. Beide werken zijn geschreven door dr. E.P. Veening. Deze Groningse filosoof is een van de grondleggers van de filosofische consultatiepraktijk in Nederland en neemt een unieke plaats in het landschap van filosofisch consulenten in. Hij baseert zich, zoals de naam van zijn methodiek reeds doet vermoeden, vrijelijk op Aristoteles.

Kenmerkend voor de Aristonide methodiek is dat de consulent die met deze methode werkt zich richt op de opvattingen, argumenten, concepten en ideeën van degene die de praktijk bezoekt. Tezamen vormen deze abstracte zaken een intellectuele leefwereld, namelijk de intellectuele leefwereld van de bezoeker. De fysieke leefwereld en de leefwereld waarin subjectieve mentale zaken zoals dromen, waarnemin-

Aristoteles
(384-322 voor Chr.)

gen, emoties, ervaringen et cetera aan de orde zijn, laat de consulent ongemoeid. Uiteraard komen mensen de gespreksruimte binnen met hun biologische eigenschappen en hun psychologische uitrusting, maar deze zullen tijdens een consult niet worden gethematiseerd, laat staan gemedicaliseerd. In het eerder gegeven voorbeeld van een puzzel uit de politieke sfeer (zie kader) mag de persoon in kwestie misschien het idee hebben niet meer te passen bij een bepaalde politieke partij, de gevoelens die hiermee gepaard gaan zullen niet worden geduid en uitgediept. De filosofisch consulent draagt er zorg voor dat er tijdens het gesprek steeds wordt teruggekeerd naar de intellectuele leefwereld van degene die gebruik maakt van zijn diensten. Het is deze leefwereld die op verzoek aangepast, omgevormd, opnieuw ingericht et cetera 'moet' worden. Mensen betalen voor de vakkundige begeleiding door de consulent en diens expertise bij deze processen.

Veening stelt dat voor een consulent die wil werken volgens de Aristonide methodiek een aantal punten geldig is. Ze zullen nu kort de revue passeren. Om te beginnen beschouwt de filosofisch consulent elke klant als een 'collega-denker'. De consulent houdt zich bezig met het denkwerk van de klant. Dit geldt zowel voor de manier waarop er wordt gedacht door de klant, zoals argumentaties die worden gevolgd, als voor de inhoud van het denkwerk. Bij het laatste gaat het om de onderwerpen, thema's en problemen die aan bod komen. Verder geldt dat de klant de consulent op instrumentele wijze mag gebruiken, net zoals een klant bijvoorbeeld een opticien mag gebruiken voor de reparatie van een bril. De consulent moet de klant duidelijk maken dat hij geen 'levensgids' is en dat er ook geen 'levenslessen' worden geboden in de praktijk. Voorts is het zo dat biografische kennis van de klant voor het werk van de consulent in principe geen vereiste is. Een consulent die zich dit voldoende realiseert zal terughoudend zijn met het vragen naar de levensgeschiedenis en de privéomstandigheden van de klant. De filosofisch consulent wordt geacht zich blijvend te scholen, zowel op het filosofisch inhoudelijk vlak als op het communicatieve terrein. Tot slot, de consulent dient de klant helder te maken wat zijn professie inhoudt en waarvoor de klant betaalt. De sleutelbegrippen hierbij zijn 'expertise' en 'tijd'.[1]

In de filosofische consultatiepraktijk, die gebaseerd is op de Aristonide methodiek, worden gesprekken gevoerd. De consulent en de bezoeker van de praktijk zitten in een spreekkamer en 'beperken' zich tot het mondeling uitwisselen van gedachten. Terugkijkend op de geschiedenis van het filosofisch consulentschap kan worden gesteld dat er al een flink aantal mensen is geweest dat heeft kunnen profiteren van deze gesprekken met filosofisch consulenten. Welnu, het komt ook voor dat een filosofisch consulent wordt ingeschakeld voor denkhulp bij het schrijven van een essay of het opstellen van een beleidsplan. Het schrijven van een essay of andere tekst kost tijd en verloopt doorgaans met kortere of langere tussenpozen. Het is zowel vanuit praktisch oogpunt als voor de voortgang van het proces goed als de filosofisch consulent 'binnen handbereik' is om, indien nodig, te worden geconsulteerd zodat deze mee kan denken. Het langer verblijven op een vaste en geschikte locatie, een locatie waar ook de consulten plaatsvinden, biedt de mogelijkheid om in alle rust en onder goede condities complexe denkklussen uit te voeren. Een van de doelen van een filosofische retraite is om aan deze processen een gestructureerde en verantwoorde vorm te geven.

De stap die nu in feite wordt gezet, is om de filosofische consultatiepraktijk, die gebaseerd is op de Aristonide methodiek, in te zetten in een bredere context, namelijk die van een filosofische retraite. Deze ruimere context biedt de kans om meerdere instrumenten naast elkaar te gebruiken wanneer het gaat om een kwaliteitsverbetering van het denken tot stand te brengen. Het volgen van onderwijs bijvoorbeeld, in welke vorm dan ook, kan heel goed onderdeel uitmaken van een filosofische retraite. Langs deze weg kan kennisoverdracht rond een bepaald thema of vraagstuk worden gekoppeld aan gesprekken met de filosofisch consulent. De opgedane kennis kan direct worden ingezet bij het doordenken van puzzels tijdens een filosofisch consult. Duidelijk is dat de filosofische retraite door de inzet van verschillende instrumenten en uiteenlopende werkvormen veel gezichten kan aannemen. Overleg over de te bewandelen route met de filosofisch consulent die de retraite begeleidt is dan ook op zijn plaats.

Wellicht bestaat de behoefte om een filosofische retraite af te sluiten met het voordragen van een essay, een publicatie op het internet of het mee naar huis nemen van een ingesproken tekst (en/of filmpje). Al deze werkvormen kunnen aan de filosofisch consulent worden voorgelegd en met hem of haar worden besproken. Aangezien de filosofische retraite recent in het leven is geroepen, zal er nog veel moeten worden geëxperimenteerd om tot optimale resultaten te komen.

Maar wat gebeurt er precies in een filosofisch gesprek met een consulent die werkt volgens de Aristonide methodiek? Hoe gaat zo'n gesprek nu eigenlijk in zijn werk? Het wordt langzamerhand tijd om eens een kijkje te nemen in de spreekkamer van de filosofisch consulent!

Deel 1

Een casus in de privésfeer

W e gaan op gesprek bij de filosoof. In de hoofdstukken I en III zien we een toepassing van de Aristonide methodiek in de spreekkamer van de filosofisch consulent. In hoofdstuk IV bestaat de spreekkamer alleen nog maar in metaforisch opzicht omdat hier gekozen is om de Aristonide methodiek te gebruiken tijdens een groepswandeling. Er komen dus in totaal drie consulten aan de orde waarbij commentaar is toegevoegd ter verheldering van de rol van de filosofisch consulent. De uitgewerkte voorbeelden, zoals ze in dit boek zijn beschreven, zouden zich zo tijdens een consult voor kunnen doen, al dan niet als onderdeel van een filosofische retraite.

De eerste casus komt voort uit het privéleven van een jongedame.

'Als Betty dertien is betrapt ze haar vader in de badkamer terwijl hij masturbeert. Jarenlang onderdrukt ze de herinnering, want deze past totaal niet bij het beeld dat ze van haar vader wil hebben. Maar als ze zwanger raakt, komt alles opeens in volle hevigheid weer naar boven,' zo begint een artikel in de *Margriet* van januari 2014.

Ook al is de naam van Betty (34) gefingeerd en zijn niet alle 'ins' en 'outs' van het verhaal bekend, de kwestie leent zich goed om het werk dat een filosofisch consulent zou kunnen verrichten te illustreren. Het artikel in het damesblad biedt veel aanknopingspunten om te laten zien wat een filosofisch consulent kan doen om de kwaliteit van Betty's gedachten over wat er gebeurt en wat er in het verleden is gebeurd te verhogen. Hetzelfde geldt voor wat een filosofisch consulent moet nalaten om Betty op een passende wijze van dienst te zijn. We 'sturen' Betty (B) dus naar de spreekkamer van een filosofisch consulent (FC) en we kijken hoe een gesprek met de consulent, in dit geval een man, zich concreet zou kunnen ontvouwen. Het eerste contact tussen Betty en de filosofisch consulent komt tot stand door het voeren van een telefoongesprek. Uiteraard is ook dit gesprek volledig fictief en zou het heel anders kunnen verlopen…

In de spreekkamer van de filosofisch consulent gaat een telefoon over:

FC: 'U spreekt met Daan Denker.'

B: 'Goedendag, u spreekt met Betty. Ik bel u naar aanleiding van uw website. Ik zou graag iets meer informatie willen hebben over uw diensten.'

FC: 'Dat kan natuurlijk.'

B: 'De praktische kanten van uw diensten, zoals de tarieven die u hanteert, zijn me wel duidelijk, geloof ik. Ik weet eigenlijk alleen niet of ik bij u aan het goede adres ben. Ik heb begrepen dat u meedenkt met levensvragen die mensen hebben. Dat klopt toch?'

FC: 'Ja hoor, dat is helemaal correct.'

B: 'Ehh, ehh … ik vind het nogal lastig om uit te leggen waar ik mee zit. Het is nogal moeilijk en zo vreemd om zomaar met u hierover te praten. En ehh … het is de eerste keer dat ik bij een praktijk zoals die van u aanklop.'

FC: 'Mag ik u een voorstel doen om het misschien iets gemakkelijker voor u te maken? U heeft misschien wel begrepen dat ik, voordat de consulten starten, een oriëntatiefase gebruik. Deze fase kost u niets en zo'n oriënterend gesprek biedt u de mogelijkheid om rustig uit te leggen waar u mee zit en wat u van mij verwacht. Mocht u na ons gesprek tot de conclusie komen dat u bij mij aan het verkeerde adres bent, dan is er geen man overboord. Ik maak dat wel vaker mee. Lijkt het u wat om een afspraak te maken?'

B: 'Ehh ... ja, laten we dat maar doen.'

De filosofisch consulent heeft het telefoongesprek met opzet kort gehouden. Veel zaken kunnen beter in de oriëntatiefase in de spreekkamer worden besproken, omdat in een telefoongesprek onder andere de non-verbale communicatie ontbreekt. Betty moet de mogelijkheid krijgen om te bepalen of ze met deze filosofisch consulent aan de slag wil. Is er wel een klik tussen haar en de consulent? Tegelijkertijd moet de filosofisch consulent aftasten of er voor hem echt puzzel- en denkwerk te verrichten is. Voor beide partijen is het van belang om uit te zoeken of er zowel op communicatief als inhoudelijk vlak kan worden samengewerkt. Pas dan kunnen er afspraken worden gemaakt en kan er daadwerkelijk van start worden gegaan.

De dag is aangebroken waarop Betty aanbelt bij het gebouw waar de spreekkamer is gevestigd. Ze hoort iemand aan komen lopen en de deur van het gebouw gaat open. Betty en de filosofisch consulent staan nu oog in oog en geven elkaar een hand. Het eerste contact in levende lijve tussen hen verloopt als volgt:

B: 'Goedemiddag. Ik ben Betty.'

FC: 'Goedemiddag. Ik ben Daan Denker. Heeft u een goede reis gehad?'

B: 'Gelukkig wel en ik kon de praktijk ook vrij gemakkelijk vinden.'

Betty en de consulent lopen samen de spreekkamer binnen waar twee stoelen schuin tegenover elkaar staan met daartussen een tafeltje waarop een notitieboekje en een pen liggen. Ook staan er twee glazen en een kan water klaar die elk moment in gebruik kunnen worden genomen. In de kamer is verder een boekenkastje te zien dat duidelijk door de consulent wordt gebruikt en zeker niet is bedoeld om bezoekers te imponeren. Een grote plant in een hoek zorgt voor wat levendigheid in het vertrek. De consulent nodigt Betty uit om op een van de stoelen plaats te nemen. Zelf gaat hij zitten op de stoel die overblijft.

FC: 'Ik ben blij dat ik de route naar mijn praktijk helder heb weten over te brengen. Op de site staat deze route naar mijn idee ook goed beschreven. Overigens, zullen we elkaar tutoyeren? Gezien onze leeftijd lijkt me dat niet ongepast en wellicht werkt dat wel zo prettig.'

B: 'Ja, ja, … dat zou ik zeer op prijs stellen.'

FC: 'Mooi. Ik meen uit ons telefoongesprek op te maken dat dit de eerste keer is dat je bij een filosofisch consulent aanklopt. Heb ik dat goed begrepen?'

B: 'Ja, … inderdaad.'

FC: 'Ik wil je de gelegenheid geven om te vertellen waarom je contact hebt opgenomen en wat je precies van mij verwacht als filosofisch consulent. Van mijn kant krijg ik zo de kans om te kijken of hier voor mij ook werk aan de winkel is en of ik je daadwerkelijk kan helpen. Gaandeweg kunnen we elkaar zo ook iets beter leren kennen. Dit gedeelte van het consult hoef je overigens niet te betalen. Pas als we samen hebben besloten om met elkaar aan de slag te gaan, ga ik de tijd die we gebruiken in rekening brengen. Ben ik tot zover helder of heb je nog iets te vragen of op te merken? Nog even iets anders, als je water wilt, voel je dan vooral vrij om dat te pakken.'

Met deze woorden heeft de **oriëntatiefase** een aanvang genomen.

B: 'Nou, het lijkt me wel duidelijk wat de bedoeling is. Maar ehh… ik vind het nogal lastig om een begin van mijn verhaal te vinden.'

FC: 'Ja, ja, … neem vooral de tijd. Vergeet ook niet dat alles wat hier wordt gezegd tussen jou en mij blijft. Ook zal ik geen oordeel vellen over datgene wat je me vertelt. Ik sta geheel tot je dienst. Dus als ik ergens bij kan helpen, vraag het gerust.'

B: 'Tsjah, ehh … het zit zo.' Een diepe zucht volgt. Ze vat het verhaal samen zoals het in de *Margriet* heeft gestaan: 'Twintig jaar lang heb ik de herinnering weten te verdringen. Na die ene nacht, en het gesprek dat erop volgde, heb ik er bewust voor gekozen om dat wat er was gebeurd weg te stoppen. Ik hield zóveel van mijn vader; ik wilde niet dat dat gevoel werd aangetast. Alles moest blijven zoals het was en dat kon alleen maar als ik dat beeld voorgoed ergens parkeerde, ver weg. Twee decennia is dat gelukt. Maar nu ik zwanger ben van een dochter, is alles veranderd. Ik slaap slecht en heb geregeld huilbuien. Ik moet hier iets mee. Maar hoe doorbreek ik het zwijgen na zoveel jaar? Dertien jaar was ik. Ik was een hele week alleen met mijn vader en broertje thuis. Mijn moeder was op vakantie met een vriendin en wij vierden feest als drie ondeugende kinderen. Avond aan avond haalden we patat of Chinees, huurden dvd's en hadden veel lol. Mijn broertje en ik mochten vaak tot laat opblijven. Behalve die avond dat mijn vader vrienden over de vloer kreeg. Ze kaartten, rookten en dronken bier tot diep in de nacht. Ik weet niet waardoor ik wakker werd. Misschien van een dichtslaande deur toen de laatste persoon vertrok? Ik lag een tijd te woelen en moest uiteindelijk plassen. Stil sloop ik de trap af. Toen ik de deur van de badkamer opentrok schrok ik me rot. Mijn vader stond voor de wasbak, zijn broek hing op zijn knieën. Ik was nog maar dertien, maar wat hij aan het doen was, drong direct tot mij door. Ik had er plaatjes van gezien op school, jongens deden er stoer over. Geschrokken stond ik in de deuropening. Had ik mij maar omgedraaid. Was ik maar gauw naar mijn kamer gerend. Maar ik stond als bevroren. Mijn vader staarde naar mij. Ook hij leek te schrikken. Toch ging hij door. En hij zei, met dubbele tong: "Kijk maar. Dit hoort ook bij je seksuele voorlichting."

Een korte stilte volgt. De consulent laat hetgeen hij gehoord heeft tot zich doordringen. Hij neemt ook de tijd om na te denken over hoe hij zal gaan reageren.

FC: 'Je slaapt slecht en je hebt geregeld huilbuien. Je moet hier iets mee, zeg je.'

B: 'Ja, ja, ... ik heb ook steeds meer last van nachtmerries, dit kan zo niet doorgaan.'

FC: 'Verwacht je van me dat ik je slaapproblemen oplos en je huilbuien laat verdwijnen?'

B: 'Dat zou wel heel mooi zijn. Toch? ... Ik wil graag nog iets kwijt over hoe het na de uitlatingen van mijn vader verder ging.' En ze vertelt het vervolg van het verhaal dat in de *Margriet* viel te lezen: 'Nee, hij heeft me met geen vinger aangeraakt. En toen het voorbij was, leek hij direct bij zinnen te komen, draaide zich weg en mompelde: "Ga naar bed." Ik ben naar boven gerend en perste mijn ogen op elkaar tot ik sterretjes zag. Plassen had ik nog steeds niet gedaan; ik deed het later op mijn prullenbak, want ik durfde niet meer naar de badkamer. Uiteindelijk ben ik in slaap gevallen. De volgende morgen bleef ik in mijn kamer. Ik had geen idee hoe ik mij moest opstellen. Ik bleef in bed liggen – tot mijn vader aanklopte. Met gebogen hoofd kwam hij binnen en ging naast me op een stoel zitten. Met afgewende blik, waarin ik tranen zag, zei hij hoe hij zich schaamde. Dat dit nooit had mogen gebeuren. Hij zei dat hij dronken was geweest, smeekte me om het te vergeten. En om het aan niemand te vertellen. "Dan zal niets ooit nog hetzelfde zijn," zei hij.'

De consulent kijkt Betty aan en gaat even verzitten.

FC: 'Wat een verhaal! Wat erg voor je dat het zo'n impact heeft gehad.'

Het is duidelijk te zien dat de consulent oprecht is geïnteresseerd in wat Betty vertelt en dat hij zorgvuldig te werk wil gaan.

FC: 'Ik ga je iets vertellen over wat ik je kan bieden en over wat ik zeker niet doe tijdens de consulten. Slaapproblemen en het hebben van huilbuien zijn klachten die eerder om een psychologische of misschien een psychiatrische behandeling vragen. Het aanpakken van stoornissen en emotionele onbalans is een specialisatie van psychologen en psychiaters. Aangezien ik een filosoof ben, zonder een therapeutische achtergrond van psychologische aard, bied ik dergelijke behandelingen niet. Mijn praktijk is een puur filosofische praktijk waar ideeën worden beproefd en gedachten kunnen worden herijkt. Enkel en alleen met je huilbuien en je slaapproblemen kan ik je tot mijn spijt niet helpen. In mijn praktijk kan wel worden nagedacht over seksualiteit binnen het gezin en over de opvoeding door ouders. Dit denkwerk overigens kan onbedoeld invloed hebben op je huilbuien en je slaapproblemen. Wil je alleen aan je slaapproblemen en je huilbuien werken of zijn er eventueel andere zaken die je van me verwacht? In het eerste geval denk ik dat je in een psychologische praktijk meer op je plaats bent.'

Nadat Betty een glas met water heeft gevuld en een paar slokjes heeft genomen, herneemt ze het woord.

B: 'Het beeld dat ik van het vaderschap heb is nogal gekleurd door mijn ervaring. Graag wil ik hier nog eens naar kijken omdat mijn partner en ik binnen afzienbare tijd zelf ouders gaan worden. Vragen als "Wat houdt het ouderschap in?" en "Welke rol kunnen of mogen grootouders in de opvoeding spelen?" houden me de laatste tijd erg bezig.'

Betty beweegt zich wat ongemakkelijk op haar stoel en het is duidelijk dat ze nog iets wil zeggen dat haar zwaar valt. De consulent besluit haar te helpen door te vragen of ze nog iets wil toevoegen en benadrukt dat alles bespreekbaar is en tussen hen blijft.

B: 'Ja, ehh, … misschien vind je het nogal raar, maar eh … er zijn bepaalde situaties die zich ongetwijfeld nog gaan voordoen in de toekomst... maar waar ik nogal tegen opzie.'

FC: 'Mm, vertel maar.' De consulent maakt tegelijkertijd een bemoedigend knikje om haar te stimuleren het verhaal te vervolgen. Een korte stilte valt.

B: 'Mijn ouders zullen natuurlijk weleens op ons kindje gaan passen. Ze hebben tegen ons gezegd dat ze dat graag zouden willen doen. Dat is toch normaal, niet? Maar eh, … ik ben bang dat ik dat niet aandurf met mijn vader. En eigenlijk vind ik dat niet kunnen. Ik bedoel… mijn vader moet toch ook gewoon opa kunnen zijn? Hoe moet ik dat dan allemaal aanpakken? Kun je me daarmee helpen? …'

FC: '…'

Het wordt gaandeweg duidelijk dat hetgeen Betty aan de orde wil stellen wel over het voetlicht is gekomen. De verwachtingen aan het adres van de consulent zijn helder. De oriëntatiefase loopt ten einde en de **contractfase** kan beginnen. De contractfase is de fase waarin zowel Betty als de filosofisch consulent moet beslissen of ze met elkaar aan het werk gaan. De prijzen voor een consult worden kort besproken. Betty knikt instemmend.

FC: 'Oké, … als ik je goed heb begrepen wil je dat ik je help met je huilbuien en je slaapproblemen. Toch? Daarnaast wil je samen met mij nadenken over de aard van het ouderschap en in het bijzonder de aard van het vaderschap. Ook het beeld van de rol van de grootouders moet daarbij betrokken worden. Daarnaast zoek je, gezien het gegeven dat je op dit moment je kindje straks niet alleen bij je vader wilt laten, ook hulp bij de praktische kant van je contact met je ouders. Klopt dat?'

B: 'Ja, helemaal.'

FC: 'Ik constateerde ook een spanningsveld tussen je opvattingen over wat een opa zou moeten toekomen en de ruimte die je je vader concreet zou willen geven. Ook hier wil je met mij over nadenken. Heb ik je verwachtingen aan mijn adres zo goed samengevat?'

B: 'Ja, eigenlijk wel.' Betty zucht nog eens.

FC: 'Is mijn samenvatting ook volledig?'

De consulent streeft duidelijk naar zorgvuldigheid: een aspect dat onderdeel uitmaakt van de beroepsethiek waarmee een filosofisch consulent van doen heeft. Overigens, reflecties over de beroepsethiek van het filosofisch consulentschap en het gebruik van een beroepscode vallen buiten het bestek van dit boek.

B: 'Ja, ja… dat was het wel…'

Het terugkerende gezucht van Betty verraadt een grote emotionele spanning en betrokkenheid bij wat op tafel ligt. De consulent besluit deze emotionele uitingen (vanuit empathie) te benoemen *en* te parkeren om te voorkomen dat hij wat zijn werkzaamheden betreft op de verkeerde stoel terechtkomt. Zeker, emoties mogen er zijn in de spreekkamer van de filosofisch consulent, maar ze worden niet bevraagd en niet gethematiseerd. Ze behoren niet tot het werkterrein van de filosofisch consulent zoals ook blijkt uit het vervolg van het gesprek.

FC: 'Juist. Ehmm, … zoals ik al eerder aangaf, helpen met je huilbuien en je slaapproblemen doe ik niet. Je zou kunnen besluiten om hier werk van te maken door een psycholoog of psychiater in te schakelen. Dat staat geheel los van wat ik in mijn praktijk te bieden heb. Ik bedoel… je zou zowel van mijn diensten als van de diensten van een psycholoog gebruik kunnen maken. Daar kun je rustig over nadenken, de werkterreinen zijn verschillend genoeg. Voor alle duidelijkheid, ik vervul geen medische rol. Ik ben gespecialiseerd in denkwerk en kan daarvoor instrumenten inzetten. Emotionele knelpunten en dergelijke laat ik ongemoeid…'

De consulent laat bewust een korte stilte volgen. Hij wil dat Betty goed beseft wat hij wel voor haar kan betekenen en wat niet. Zij gaat hem straks betalen voor zijn tijd en expertise. Het is dus van groot belang dat ze *weet* waarvoor ze gaat betalen.

FC: 'Ik kán en wíl je helpen met het nadenken over het beeld dat je van het ouderschap hebt. Wellicht kunnen we samen een beeld ontwikkelen waar voor jou beter mee te leven is. Misschien behoeft het beeld dat je nu hebt een kleine aanpassing, misschien moet er meer gebeuren. Dat kunnen we allemaal uitproberen…'

(De consulent krijgt de volgende gedachte: Ik denk dat we in eerste instantie vooral waarderingspuzzels hebben op te lossen. Het spanningsveld tussen haar opvatting over de rol van een opa en de ruimte die ze haar vader op dit moment wil geven is daar een sterke indicatie voor. Maar laten we niet op de zaken vooruitlopen. In de Aristonide methodiek heeft het begrip 'waarderingspuzzel' betrekking op vragen waarover in termen van 'goedheid' en 'slechtheid' nagedacht en gepuzzeld kan worden. Ook vragen als 'Wat is hier kwaliteit?' en 'Wat mag in dit geval?' zijn voorbeelden van waarderingspuzzels.)

FC: 'De belangrijkste vragen van mij aan jou zijn of ik voldoende helder heb weten te maken waarmee ik je kan helpen en waarmee niet en of je met mij aan de slag wilt gaan? Wat denk je?'

B: 'Eh, … je bent heel helder geweest en ik zie het ook zitten om met jou in zee te gaan. Ik voel me behoorlijk op m'n gemak bij je. Tsja, … en die huilbuien en mijn slaapproblemen (zucht) … daar moet ik inderdaad nog over nadenken. Maar ik snap inmiddels heel goed waarom je die laat voor wat ze zijn. Poeh, het is me allemaal wat…'

De consulent pakt een notitieblok en schrijft even wat op.

FC: 'Daar moet je je niets van aantrekken. Ik vind het soms handig om tijdens een consult wat notities te maken om de lijn van een consult vast te houden of later een argument beter uit te kunnen werken. Soms gebruik ik ook een flip-over. Ik schrijf geen dingen op die je niet mag weten hoor. Nadat ik de notities heb gebruikt vernietig is ze ook gelijk. Behalve jij krijgt niemand ze te zien. Eh, … misschien vind je het zelf ook handig om iets te noteren…'

Er is een overeenkomst gesloten tussen Betty en de consulent. Beiden hebben ingestemd met het aangaan van een samenwerkingsverband. Op het communicatieve spoor lijkt het contact goed te verlopen gezien de opmerking van Betty dat ze zich behoorlijk op haar gemak voelt. Kennelijk nodigt de consulent door zijn verbale en non-verbale gedragingen hiertoe uit. Voor de consulent is er daadwerkelijk puzzel- en denkwerk te verrichten. Gezien de reacties van Betty op de consulent ontstaat ook de indruk dat ze in staat is voldoende afstand te nemen van haar situatie. Betty lijkt in staat te zijn om op een zeker abstractieniveau over kwesties na te denken. Ze begrijpt vlot waarom de consulent niet met haar slaapproblemen en huilbuien aan de slag wil gaan en ze neemt de tijd om na te gaan wat ze hier verder mee wil. De consulent maakt aan het slot van de contractfase expliciet dat Betty vanaf nu gaat betalen voor de tijd die tijdens de consulten verstrijkt.

De contractfase is bij dezen afgerond en de **inhoudsfase** kan een aanvang nemen. Het is zaak dat de filosofisch consulent probeert het *probleem* waar Betty mee kwam om te gaan zetten naar een *welgevormde puzzel*. Tezamen kunnen ze over deze puzzel nadenken en puzzellijnen kunnen worden gevolgd. (Zie ook het schema in de bijlage aan het eind van het boek: Blok 1.)

FC: 'Zullen we dan maar meteen aan het werk gaan?'

B: 'Dat lijkt me prima.'

De consulent werpt een blik op de klok die op een onopvallende plaats in het vertrek is opgehangen.

FC: 'In eerste instantie wil ik samen met jou gaan proberen om jouw problemen om te zetten in een of meerdere puzzels waarmee we daadwerkelijk aan de slag kunnen gaan. Over puzzels kun je echt nadenken en om ze op te lossen kun je verschillende strategieën uitproberen. Het begrip 'probleem' verwijst doorgaans alleen naar de onontwarbare kluwen van gedachten die er ten aanzien van een bepaalde situatie zijn. Volg je me?'

B: 'Ja, heel goed zelfs.'

FC: 'Ehm ... ik wil beginnen met terug te gaan naar de avond waarop het ingrijpende voorval met je vader plaatsvond. Je zei zojuist dat het beter was geweest als je was weggerend naar je kamer toen je je vader in de douche aantrof. Ik begrijp dat het niet prettig is om hier aan terug te denken. De reden dat ik terug wil naar dit moment is dat het verschillende aanknopingspunten biedt om te komen tot een of meer goed geformuleerde puzzels.'

B: 'Ja, ja...'

FC: 'We zouden om te beginnen kunnen nadenken over de verantwoordelijkheid van je vader ten opzichte van jou in deze situatie. Ook kunnen we nadenken over wat jouw verantwoordelijkheid was ten opzichte van je vader. Wat vind je? Lijkt je dit een goede aanpak?'

B: 'Ja, ja ... het was zo'n overdonderende gebeurtenis. Ik stond daar maar te staan ... En dan die opmerking van mijn vader terwijl hij gewoon doorging met... Maar, eh, eh ... het lijkt me goed om nog eens na te gaan wie wat deed en ... wie de schuld van alles heeft.'

FC: 'Nou ... we hoeven misschien niet gelijk in termen van schuld te denken, want dat houdt immers al een oordeel in. Laten we eerst proberen om tot een goed geformuleerde puzzel te komen. Zo'n puzzel biedt de mogelijkheid om na te denken over de vraag hoe verantwoordelijkheden tussen ouders en kinderen liggen of zouden moeten liggen volgens jou. In een latere fase kunnen, indien nodig of gewenst, oordelen over de bewuste gebeurtenis aan de orde komen.'

De consulent probeert Betty te helpen met het opstellen van een paar *welgevormde puzzels*: puzzels die niet te specifiek of te algemeen zijn geformuleerd. Hij gaat hierbij op basis van gelijkwaardigheid te werk en tast regelmatig af of ze samen nog op de goede weg zitten. Betty heeft de neiging tijdens het gesprek zo nu en dan biografische elementen in te brengen die niet relevant zijn. De consulent kapt deze zijwegen op een respectvolle en gepaste manier af. Het formuleren van de puzzels levert onder andere de volgende resultaten op:

1. Is het goed dat kinderen niet worden geconfronteerd met het seksuele leven van hun (groot)ouders?

2. Is het de plicht van (groot)ouders om te voorkomen dat kinderen worden geconfronteerd met hun seksuele leven?

3. In hoeverre mag je als ouder de verantwoordelijkheid ten aanzien van je kinderen uit handen geven? Kun je altijd nagaan of je je kinderen tijdelijk bij anderen kunt achterlaten?

De eerste puzzel is een duidelijk voorbeeld van een ethisch vraagstuk. Je zou in dit verband kunnen spreken van een *waarderingspuzzel* die moet worden opgelost. Immers, er wordt gevraagd naar wat goed is om te doen of wat goed is om (na) te laten. Al eeuwenlang wordt er door filosofen aan morele kwesties gewerkt. De vraag is zo geformuleerd dat er door Betty en de consulent kan worden nagedacht over wat goed is met betrekking tot een bepaald aspect van het menselijk leven. Niet het gehele leven van de mens wordt aan de orde gesteld. Een te abstracte vraagstelling zou niet in overeenstemming zijn met de afspraak die in de contractfase tussen Betty en de consulent is gemaakt.

Ook de tweede puzzel kan worden gezien als een ethisch vraagstuk. Deze puzzel is eveneens welgevormd en niet te breed of te smal geformuleerd. De puzzel leent zich om een filosofisch gesprek op gang te brengen.

Een belangrijke taak voor de filosofisch consulent is om te

voorkomen dat de stap van een waarderingsoordeel naar een plichtsoordeel of norm te gemakkelijk wordt gezet. Een voorbeeld van een waardeoordeel is: 'Het is niet goed als kinderen worden geconfronteerd met het seksuele leven van hun ouders.' Met het geven van een waardeoordeel is nog niets gezegd over wat er gedaan of gelaten moet worden om deze waarde in praktijk te brengen. Handelingen die moeten, mogen of niet mogen, komen tot uitdrukking in zogenoemde 'plichtsoordelen'. Een voorbeeld van een plichtsoordeel is: 'Ouders moeten hun seksuele leven aan het zicht van kinderen onttrekken.' Er wordt een norm gesteld. Voor veel mensen is het vanzelfsprekend om te denken dat wat goed is om te doen (of na te laten) ook automatisch leidt tot de noodzakelijkheid of verplichting om dat te doen (of na te laten). Echter, wanneer je bijvoorbeeld van mening bent dat het goed is om geld te geven aan een 'goed doel', dan vraagt de stap naar de verplichting om geld te geven aan dat goede doel om een zelfstandige rechtvaardiging. De beweging van een ethische opvatting naar een handeling wordt vaak bijna achteloos en te snel gemaakt. De filosofisch consulent dient zich hier in het contact met Betty, gezien de relatie tussen de eerste twee puzzels, van bewust te zijn.

De derde puzzel is deels een ethisch vraagstuk en deels een kennispuzzel. Het tijdelijk al dan niet 'uit handen mogen geven' van je verantwoordelijkheden als ouder veronderstelt een morele of ethische rechtvaardiging. Deze rechtvaardiging kan tijdens het consult met Betty expliciet worden geformuleerd. Uiteraard moet Betty dat dan ook zelf willen. Betty is de bezoeker van de praktijk en de filosofisch consulent denkt 'slechts' mee. De kennispuzzel die is geformuleerd in het tweede gedeelte van de derde puzzel ligt in het verlengde van deze kwestie. De vraag of je altijd kunt nagaan of je je kinderen bij anderen kunt achterlaten geeft aan dat er een tekort aan kennis kan bestaan om tot een besluit te komen. Voor dat soort situaties zal onderzocht moeten worden of, en zo ja, hoe deze kennis kan worden verkregen. De vraag naar hoe bepaalde kennis moet worden verkregen kan weer leiden tot de noodzaak om een aparte praktische puzzel te formuleren.

De filosofisch consulent schrijft de drie tot stand gekomen puzzels op zodat deze letterlijk op tafel kunnen worden gelegd. Het eerste consult met Betty gaat als volgt verder.

FC: 'We hebben nu drie welgevormde puzzels op tafel liggen. Ben je tevreden met deze puzzels? Denk je dat het aan de slag gaan met deze puzzels bijdraagt aan je beeldvorming van het (groot)ouderschap? Is dit wat we moeten doen?'

B: 'Ik ben zeker tevreden met de puzzels zoals we ze nu hebben liggen. En ehh... ik wil hier ook zeker over na gaan denken... Pff, ik ben nu wel even uitgedacht. Kunnen we het hier voor vandaag bij laten?'

FC: 'Dat lijkt me een goed plan. We zijn zo'n vijftig minuten bezig geweest en dat lijkt me voorlopig voldoende. Wil je een nieuwe afspraak maken of wil je daar nog even over denken?'

B: 'Nee... ik wil zeker een nieuwe afspraak maken. Het is goed om bij deze belangrijke zaken stil te staan en de tijd te nemen er-over na te denken.'

Daan Denker en Betty ronden het consult af en een nieuwe datum wordt geprikt.

In dit eerste consult zijn drie, duidelijk van elkaar te onder-scheiden, fasen doorlopen. Het consult is begonnen met een 'ori-ëntatiefase', een fase waarin de bezoeker en de filosofisch consu-lent duidelijk moeten zien te krijgen waar de bezoeker precies voor komt. In de 'contractfase', de tweede fase van het consult, moet duidelijk worden of ze met elkaar aan het werk kunnen gaan. Hier-voor is instemming van zowel de filosofisch consulent als de be-zoeker nodig. In de derde fase van het consult, die de 'inhoudsfase' wordt genoemd, probeert de filosofisch consulent de bezoeker te bewegen het probleem dat op tafel ligt om te zetten in een puzzel waarmee daadwerkelijk denkwerk kan worden verzet.[2]

Het eerste contact tussen Betty en de filosofisch consulent is via de telefoon tot stand gekomen. Maar ook een e-mail uitwisse-ling of een toevallige ontmoeting kan een eerste contact gestalte geven, zo leert de ervaring.

In de zojuist beschreven casus zijn we getuige geweest van het optreden van een filosofisch consulent die werkt volgens de Aristonide methodiek.[3] Zeer waarschijnlijk is het specifieke en kenmerkende van deze methodiek voor u als lezer helemaal niet zo duidelijk geweest. Maar wanneer de Aristonide methodiek nader wordt bekeken en het vak van filosofisch consulent meer reliëf krijgt, wordt met terugwerkende kracht zichtbaar waarom de consulent heeft gehandeld zoals hij dat heeft gedaan. In het komende hoofdstuk worden de belangrijkste eigenschappen van de Aristonide methodiek uiteengezet om daarna de methodiek in de spreekkamer opnieuw toegepast te zien worden.

HOOFDSTUK II

Van filosoof tot filosofisch consulent

*'Denk zelf en de filosoof denkt
met u mee!'*

V anaf de jaren tachtig van de vorige eeuw zijn in heel Nederland verschillende filosofische consultatiepraktijken verrezen met zeer verschillende achtergronden. Filosofisch consulenten zijn op heel uiteenlopende manieren aan het werk. Het consult kan dan ook velerlei gezichten aannemen. Gemeenschappelijk aan het kleurrijke palet van filosofisch consulenten is dat ze meedenken met mensen die zich melden: mensen die denkkracht zoeken bij het oplossen van de problemen waarmee ze worden geconfronteerd in hun leven. Met het openen van de eerste consultatiepraktijken was een nieuwe tak in de filosofie geboren.

Natuurlijk, vanaf de Griekse oudheid wordt er nagedacht over problemen en levensvragen die voortkomen uit het leven van alledag. De filosofie is ooit begonnen als een discipline die als doel had om op systematische wijze na te denken over de vraag hoe het leven vormgegeven dient te worden. Het denken van de filosoof Socrates is hier een mooi voorbeeld van. Bij hem stond de vraag 'Wat is een goed leven?' centraal en hij bracht met deze vraag de straten in het oude Griekenland stevig in beroering. Pas veel later onderging de filosofie een verandering en nam ze een meer academische gedaante aan. Zo speelde ze bijvoorbeeld tijdens de middeleeuwen de rol van dienstmaagd van de theologie. Weer later splitsten delen van de filosofie zich af om als zelfstandige wetenschappelijke disciplines verder te gaan. Dat neemt niet weg dat de filosofie, door de tijd heen, haar plaats heeft weten te behouden als een volwaardige academische discipline te midden van de andere wetenschappen. De kern van de hedendaagse academische filosofie wordt niet alleen gevormd door vragen als 'Wat is een goed leven?', een van de centrale problemen uit de ethiek, maar ook door metafysische, logische, wetenschapsfilosofische, kentheoretische en politiek filosofische vragen.

Klaarblijkelijk was aan het eind van de vorige eeuw in Nederland de tijd rijp om de filosofie weer terug te brengen naar waar ze vandaan kwam, namelijk de straat. Filosofen probeerden (en proberen tot op de dag van vandaag) de filosofie in dienst te stellen van het alledaagse leven. Iedereen moet de vruchten kunnen plukken van hetgeen er door vakfilosofen is uitgedacht, zo werd er geredeneerd.

Een van de pioniers op dit terrein was de Groningse filosoof Eite P. Veening. Met een achtergrond op het gebied van maatschappelijk werk en filosofie, begon hij in 1987 filosofische gesprekken te voeren in zijn praktijk. In 2002, een paar jaar na zijn promotie in de filosofie, verscheen er een boekje van zijn hand met de beschrijving van een methode voor de filosofische consultatiepraktijk waarin hij voor 'beginners' op systematische wijze weergeeft hoe hij te werk gaat. Daarmee zette hij een belangrijke stap richting de professionalisering van een nieuw werkterrein dat tot dan toe nog geen duidelijke contouren liet zien. Later ontwikkelde hij zijn visie verder door zijn werk in het (communicatie)onderwijs aan het Universitair Medisch Centrum Groningen (UMCG). Het resultaat van deze ontwikkeling heeft zijn beslag gekregen in het boek *Het filosofisch consult* (2014).

In Veenings boekje uit 2002, dat de titel *Klein Handboek Filosofische consultatie volgens de Aristonide methodiek* draagt, geeft hij een verhelderende analogie ten aanzien van de vraag wat een filosofisch consulent te bieden heeft:

'... er zijn heel veel mensen die thuis hun eigen maaltijden koken, soms ook voor anderen, voor gasten of familie. Maar daarmee zijn ze nog geen kok, geen 'vak-koker' of kook-deskundige. Ook zijn er heel veel mensen die achter hun eigen huis of in een volkstuintje tuinieren, maar daarmee zijn ze nog geen tuinman, gaan 'vak-tuinier'. (…) Zo is het ook met nadenken. Alle mensen denken wel eens na. Maar daarmee zijn ze nog geen denk-kundige, geen vak-denker. Filosofen zijn in onze maatschappij de vak-denkers; zij zijn mensen die studie gemaakt hebben van goed nadenken, die daarin getraind zijn en die dus werk maken van het nadenken: denkwerk. Zij kunnen als geen ander met anderen meedenken; zij zijn, op grond van hun studie en scholing en training, de best mogelijke vak-meedenkers.'[4]

De 'vak-koker' en 'vak-tuinier' hebben de fysieke aarde als werkterrein. Ze richten zich op dingen die zintuiglijk tastbaar, eetbaar en zelfs ruikbaar zijn. Maar wat is precies het werkterrein van de filosofisch consulent? Zeker, filosofen denken na en verrichten denkwerk. Maar waar precies zijn ze actief? Om deze vragen te kunnen beantwoorden zal een stevig stukje theoretische filosofie de revue moeten passeren.

Het werkterrein van de filosofisch consulent
Om een plaatsbepaling van de filosofische consultatiepraktijk te formuleren, gebruikt Veening de driewereldentheorie van Karl Popper (1902-1994). Deze Oostenrijks-Britse filosoof, die streefde naar een beredeneerd en allesomvattend wereldbeeld, wilde met zijn driewereldentheorie een volledige ontologie ontwikkelen.[5] De driewereldentheorie kan als een handig *instrument* worden gebruikt om duidelijk te maken wat het werkterrein van de filosofisch consulent is en waar de werkterreinen van andere praktijkwerkers zich bevinden.

Popper verdeelt alle entiteiten waaruit de werkelijkheid is opgebouwd in drie verzamelingen die hij werelden noemt. Zo treffen we in 'wereld 1' alle materiële (tastbare) objecten, gebeurtenissen en krachten aan. Hierbij moet men denken aan huizen, tafels, stoelen, moleculen, atomen, zwaartekracht, kernkrachten et cetera. Kortom, wereld 1 wordt bewoond door zaken die tot de fysieke 'buitenwereld' behoren. In 'wereld 2' treft men alle subjectieve mentale zaken aan: zaken die tot de 'binnenwereld' van een mens of dier (of ...) behoren. Voorbeelden hiervan zijn ervaringen, waarnemingen, gevoelens, belevingen, dromen en verwachtingen. In 'wereld 3' zijn de objectieve abstracte dingen en gebeurtenissen terug te vinden. Hier dienen bijvoorbeeld getallen, theorieën, proposities, concepten en ideeën onder te worden geschaard. Ze behoren, evenals de dingen en gebeurtenissen uit wereld 1, tot de 'buitenwereld'. Ze overstijgen het menselijk individu. Mensen maken deel uit van alle drie de werelden; ze leven in alle drie de werelden. Immers, mensen zijn opgebouwd uit een lichaam, subjectieve mentale aangelegenheden en beschikken over abstracte concepten, theorieën, ideeën et cetera.

Schematisch weergegeven:

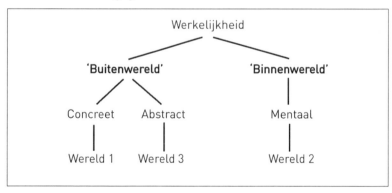

Wereld 1 = {atomen, cellen, bomen, lichamen, huizen, tafels, papier et cetera}
Wereld 2 = {gevoelens, waarnemingen, emoties, dromen, verlangens et cetera}
Wereld 3 = {concepten, (on)ware theorieën, beweringen, argumenten, wiskundige objecten et cetera}
(De accolades in het schema geven aan dat de drie werelden als mathematische verzamelingen kunnen worden opgevat)

Dingen en gebeurtenissen uit wereld 1 en wereld 3 *hebben de eigenschap* kenbaar te zijn vanuit een derde-persoonsperspectief, ook wel het 'objective point-of-view' of goddelijk 'point-of-view' genoemd. Wanneer vanuit dit perspectief naar de werkelijkheid wordt gekeken, zijn er concrete ofwel fysieke zaken te onderscheiden (wereld 1) en heel abstracte zaken (wereld 3). De elementen uit de eerste verzameling, wereld 1, zijn waarneembaar met behulp van onze fysieke zintuigen zoals ogen, mond en neus. Daarentegen zijn de elementen uit de laatste verzameling, wereld 3, uitsluitend met ons 'geestesoog' waar te nemen. Opgemerkt dient te worden dat de elementen uit wereld 3, evenals de elementen uit wereld 1, in principe door iedereen kunnen worden waargenomen. Oftewel, abstracte dingen en gebeurtenissen zijn publiekelijk toegankelijk. De *waarneembaarheid* van de elementen uit wereld 1 en wereld 3, dat wil zeggen de wijze waarop en de middelen waarmee deze elementen kunnen worden waargenomen, is volstrekt verschillend.[6] Ze hebben dus een verschillende status en dienen strikt van elkaar te worden onderscheiden. De waarneembaarheid van bijvoorbeeld een pen of een notitieblok in de spreekkamer van een filosofisch consulent is een heel andere dan de waarneembaarheid van de bewering 'De stap van een waardeoordeel naar een plichtsoordeel vraagt om een zelfstandige rechtvaardiging'.

Dingen en gebeurtenissen uit wereld 2 *hebben de eigenschap* kenbaar te zijn vanuit het eerste-persoonsperspectief, ook wel het 'ik'- perspectief genoemd. De subjectieve *kenbaarheid* levert de elementen uit wereld 2 een geheel zelfstandige status op. Zo kan het objectieve bestaan van het verdriet en de pijn die Betty (uit hoofdstuk I) ervaart worden geclaimd, maar dat neemt niet weg dat ze alleen voor Betty zelf kenbaar zijn. De huilbuien die samenhangen met Betty's pijn en verdriet zijn in principe wel voor iedereen kenbaar. De tranen op haar wangen kunnen, evenals haar gezichtsuitdrukkingen, zintuiglijk worden waargenomen en behoren daarom tot een ander domein, namelijk tot wereld 1.

Popper verdeelt dus alle entiteiten waaruit de werkelijkheid is opgebouwd in drie van elkaar te onderscheiden domeinen of werelden. Dat betekent niet dat er geen interactie tussen die drie werelden is. Wanneer we ons bijvoorbeeld met een mes snijden tijdens het schillen van aardappelen zijn alle drie de werelden in het geding. In wereld 1 zien we het mes in onze vinger verdwijnen met als gevolg dat er een bloedende wond ontstaat. Ook het plakken van een pleister, wat in zo'n geval nodig kan zijn, is een fysieke gebeurtenis waar iedereen in principe getuige van kan zijn. Wanneer de wond begint te ontsteken en de pijn (wereld 2) wel heel vervelend begint te worden, kunnen we besluiten een pijnstiller te slikken. Alle chemische reacties die nu in ons lichaam op gang komen behoren tot wereld 1. In wereld 2 zien we dat de pijn begint af te nemen en het kloppende gevoel dat bij een ontsteking hoort verdwijnt. Wereld 3 is bij de hele gang van zaken voortdurend betrokken geweest. Om van het snijden en het zien van een bloedende wond te komen tot het idee een pleister aan te brengen, zijn een heleboel concepten en theorieën nodig. Concepten als 'vinger', 'mes', 'bloed' en 'pleister' worden geactiveerd bij de besluitvorming gedurende het proces en de beschouwing van de gebeurtenissen achteraf.

Het gegeven voorbeeld, dat als doel heeft de onderlinge interacties tussen de drie werelden te beschrijven, is ontleend aan het dagelijks leven. De invloeden tussen de drie werelden worden nog duidelijker wanneer er bijvoorbeeld geen pijnstiller in het spel is maar wel het gebruik van drogerende middelen. Het betreft hier weliswaar een situatie die voor de meeste mensen minder alledaags is, dat neemt niet weg dat de werking van stoffen als heroïne en cocaïne breed bekend is. Gebruikers van deze middelen zijn in hun gedrag, gevoelsleven en denken soms onherkenbaar.

Ook uiteenlopende neurale afwijkingen tonen de innige band tussen de drie werelden aan. De gevolgen van bijvoorbeeld een hersenbloeding zijn vaak niet alleen in handelen en praten terug te zien, maar kunnen ook letterlijk voel- en denkbaar zijn. Stoornissen op het subjectieve mentale vlak (wereld 2) betekenen niet alleen een andere beleving en een andere stemming, maar beïnvloeden direct het handelen (wereld 1) en de verklaringen (wereld 3) van deze handelingen.

Vanuit wereld 3 kunnen ideeën en ideologieën onze fysieke leefomgeving (wereld 1) flink overhoop halen en onze waarnemingen en gevoelens (wereld 2) een heel nieuwe wending geven. Oorlogen vormen hier een 'fraai' voorbeeld van. Ze worden doorgaans gevoerd vanuit een bepaalde gedachte of idee, ze roepen gevoelens op van angst en neiging tot vluchten en de fysieke strijd vernielt huizen, wegen, bruggen et cetera.

Zoals gezegd, mensen leven in alle drie de werelden. Tussen de drie werelden, met daarin alle dingen, krachten, standen van zaken en gebeurtenissen, bestaat ondanks hun specifieke eigenschappen en kenmerken een zeer nauwe wisselwerking. In deze werelden en dus in het leven van mensen ontstaan problemen, worden problemen opgelost en worden nieuwe zaken ontdekt of gecreëerd.

'Seen in this light, life is problem-solving and discovery – the discovery of new facts, of new possibilities, by way of trying out possibilities conceived in our imagination. On the human level, this trying out is done almost entirely in the third world, by attempts to represent, in the theories of this third world, our first world, and perhaps our second world, more and more successfully; by trying to get nearer to the truth – to a fuller, a more complete, a more interesting, logically stronger and more relevant truth – to truth relevant to our problems.'

Sir Karl Popper
(1902 - 1994)

Welnu, hoe wordt de driewereldentheorie door Veening als instrument gebruikt om het werkterrein van de filosofisch consulent te onderscheiden van de werkterreinen van andere praktijkwerkers?[7] Activiteiten van mensen kunnen gericht zijn op deelterreinen van de drie werelden. Het zal duidelijk zijn dat het werkterrein van bijvoorbeeld koks zich bevindt in wereld 1. Dingen als pannen, lepels, zout, peper en recepten die een kok gebruikt, zijn materieel en tastbaar. Hetzelfde geldt voor het werkterrein van de tuinman. Activiteiten als het snoeien van planten en bomen en het verwijderen van dode takken behoren volledig tot wereld 1.

De psycholoog en psychiater richten zich tijdens hun beroepsuitoefening voornamelijk op wereld 2. Mentale problemen, afwijkingen en ziekten, die door deze beroepsgroepen worden behandeld, zijn subjectief toegankelijk en behoren als zodanig tot wereld 2. Zeker, een psychiater die medicijnen voorschrijft opereert op dat moment op het niveau van wereld 1. Dat neemt niet weg dat hij een verandering beoogt op het niveau van wereld 2. Het is de bedoeling dat door de medicatie een patiënt zich anders gaat voelen of een andere beleving krijgt. Niet voor niets zegt de filosofisch consulent in de eerste casus tegen Betty dat ze voor slaapproblemen en emotionele onbalans bij een psycholoog of psychiater moet zijn.

Het werkterrein van de filosoof en de filosofisch consulent bevindt zich binnen wereld 3. Zij houden zich beiden op wijsgerige wijze bezig met abstracte dingen als concepten, argumenten, theorieën, analyses en structuren. Het betreft zaken die voor iedereen met het geestesoog toegankelijk zijn en onderdeel uitmaken van wereld 3. Met een 'waarom'- vraag bijvoorbeeld kunnen deze argumenten, redenen en theorieën, al dan niet tijdens een consult, worden ontsloten. (Let wel, een 'waarom'- vraag kan tijdens een consult op psychologisch niveau als bedreigend worden ervaren en de communicatie tussen de gesprekspartners frustreren. Een zorgvuldige omgang met de 'waarom'- vraag door de consulent is dus geboden.)

Maar waarin onderscheidt de filosoof zich van de filosofisch consulent? Wanneer wordt een filosoof precies een filosofisch consulent? Beiden zijn toch bezig met na te denken over allerlei abstracte zaken? Veening heeft het begrip 'leefwereld' in de driewereldentheorie geïntroduceerd. Met dit begrip kan heel precies onder woorden worden gebracht waar filosofen en waar filosofisch consulenten binnen wereld 3 aan het werk zijn.

Een 'leefwereld' in wereld 3 is, mathematisch gezien, te beschouwen als een deelverzameling van wereld 3. Volgens Veening zijn in alle drie de werelden van Popper 'leefwerelden' te onderscheiden. Zo hebben wereld 1, wereld 2 en wereld 3 ieder hun eigen leefwerelden. Voor filosofen en filosofisch consulenten is wereld 3 met haar verschillende 'leefwerelden' het meest interessant.[8]

Schematisch weergegeven

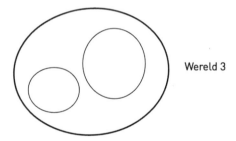

Wereld 3

Wereld 3 met daarbinnen twee 'leefwerelden' die in dit geval niets gemeenschappelijk hebben.

Een filosofisch consulent is in eerste instantie een academisch geschoold filosoof. (Na de academische vorming volgen nog additionele cursussen en/of opleidingen.) Een academisch filosoof is bezig om zijn leefwereld binnen wereld 3 op wijsgerige wijze te onderzoeken, aan te passen en/of uit te breiden. Vergeet niet dat filosoferen vaak een puur conceptuele aangelegenheid is en dat er ideeën en relaties tussen ideeën worden uitgedacht.

De activiteiten van een filosofisch consulent, die werkt volgens de Aristonide methodiek, komen volledig overeen met de activiteiten van een 'gewone' filosoof. Echter, het gebied binnen wereld 3

dat tijdens de consulten centraal staat is de 'leefwereld' van de bezoeker van de filosofische consultatiepraktijk en niet de 'leefwereld' van de consulent zelf. Uiteraard zet de filosofisch consulent
zijn eigen 'leefwereld' binnen wereld 3 in, om de bezoeker zo goed
mogelijk van dienst te zijn. In deze laatste 'leefwereld' is ook de inhoudelijke expertise van de consulent te vinden.

Een bezoeker van een filosofische consultatiepraktijk heeft
dus, evenals een filosoof of consulent, een leefwereld binnen
wereld 3. Een bezoeker die bij een filosofisch consulent aanklopt
en daar ook echt op zijn plaats is, heeft 'onvrede' met zijn leefwereld binnen wereld 3 als gevolg van kwesties die om een nadere
doordenking vragen. De bezoeker zal of hoeft dat overigens niet op
deze wijze te formuleren. In de situatie van Betty (hoofdstuk I) bijvoorbeeld werd duidelijk dat het concept '(groot)ouderschap' opnieuw moest worden doordacht. Het oude voldeed niet meer. Professionele denkhulp kan hier zijn nut bewijzen.

Ook kan er sprake zijn van een onbalans *tussen* de drie leefwerelden van een bezoeker. De verhouding of connectie tussen de
leefwereld in wereld 1, de leefwereld in wereld 2 en de leefwereld
in wereld 3 van de desbetreffende bezoeker is in dat geval niet in
orde. Het aan de slag gaan met zijn of haar 'leefwereld' in wereld 3
kan in een dergelijke situatie een uitkomst bieden.

De kracht van Veenings inzet van Poppers driewereldentheorie
is dat altijd duidelijk kan worden gemaakt waar een filosofisch
consulent werkzaam is en werkzaam wil zijn. Ingaan op de gevoelens, emoties et cetera van een bezoeker en het thematiseren ervan
tijdens een consult, betekent dat de filosofisch consulent ambities
heeft om zich op het werkterrein van de psycholoog en psychiater
te begeven. Een consulent die graag bij zijn (metaforische) leest
blijft, wil binnen wereld 3 aan het werk. Hij wil zijn activiteiten
door een heldere afbakening van zijn werkterrein kunnen verantwoorden aan de bezoeker van zijn praktijk en aan de gehele
samenleving. Terugkijkend op de eerste casus (hoofdstuk I) is nu
duidelijk waarom de filosofisch consulent ervoor koos om bijvoorbeeld aan het terugkerende gezucht van Betty tijdens het consult

geen aandacht te geven en zich te concentreren op de cognitieve inhoud van haar uitspraken.

Filosofisch consulenten die volgens de Aristonide methodiek te werk gaan zijn niet uit op een therapeutisch effect in wereld 2. Een psychologische behandeling met behulp van bijvoorbeeld de rationeel- emotieve therapie (RET-therapie), een therapie waarbij cognities een cruciale rol vervullen, heeft als doel iemand zich beter te laten *voelen*. De RET-therapie werkt *impliciet*, dus zonder de cliënt hierover te informeren, met één waardesysteem uit wereld 3, namelijk een hedonistisch en consequentialistisch ethisch egoïsme (Talhout 2006). Het label 'hedonistisch' kan worden aangebracht, omdat het vergroten van de genots*beleving* van de cliënt het sturende motief van de therapie is. Aangezien er in deze therapie uitsluitend wordt gekeken naar de persoonlijke gevolgen van de behandeling voor de cliënt, is het gebruik van het etiket 'consequentialistisch ethisch egoïsme' gerechtvaardigd. Hetzelfde verhaal lijkt te gelden voor de zogenoemde 'metacognitieve therapie' waarin *ideeën* over denken en gedachten centraal staan. In de metacognitieve therapie dienen ideeën over denken en gedachten als instrument om depressieve gevoelens, angsten et cetera te bestrijden.[9] In het filosofisch consult daarentegen, kunnen heel *expliciet* zeer uiteenlopende waardesystemen uit wereld 3 ter discussie worden gesteld. Het kunnen voeren van dergelijke discussies maakt onderdeel uit van de expertise van de filosofisch consulent.

Is tijdens een filosofisch consult bezig zijn met wereld 2 dan een taboe? Het antwoord daarop is een volmondig 'nee'. Over dingen en gebeurtenissen uit wereld 2 kan terdege worden nagedacht. Emotiemoralen bijvoorbeeld, die geworteld zijn in wereld 2, kunnen als wijsgerig thema uitstekend aan de orde komen tijdens een consult. Zo kunnen de emotiemoralen die de Belgische moraalfilosoof Jan Verplaetse onderscheidt van de rationele beginselenmoraal allemaal onderwerp worden van een gesprek. Wellicht behoeft de introductie van het begrip 'emotiemoraal' enige toelichting.

Verplaetse meent dat er ten minste vier emotiemoralen kunnen worden geïdentificeerd, namelijk de hechtingsmoraal, de geweldmoraal, de reinigingsmoraal en de samenwerkingsmoraal. De emoties waarop de emotiemoralen berusten behoren tot wereld 2. Zo zijn de cruciale emoties bij de hechtingsmoraal schuldgevoelens, empathie, hechting en agressieremming. Bij de reinigingsmoraal bijvoorbeeld zijn dat walging en weerzin. De genoemde emoties kunnen, als onderdeel van een waardesysteem, tijdens een consult tot thema worden verheven. Volledigheidshalve, de eerdergenoemde beginselenmoraal is puur rationeel en dient er volgens Verplaetse toe om de emotiemoralen te kanaliseren en te corrigeren. Aangezien de beginselenmoraal zuiver conceptueel van aard is, behoort deze dus tot wereld 3. De plichtethiek van Immanuel Kant of het utilitarisme van Jeremy Bentham zijn fraaie voorbeelden van beginselenmoralen.[10]

Denkgereedschappen voor puzzels

Het is zeker niet de bedoeling om in dit boek de volledige Aristonide methode uiteen te zetten. Hiervoor kunt u zelf het *Klein Handboek* of veel beter nog *Het filosofisch consult* van Eite Veening raadplegen. Eén belangrijk gezichtsbepalend onderwerp uit de Aristonide methodiek mag hier echter niet ontbreken. Het betreft het gereedschap waarmee de filosofisch consulent zijn werk verricht voor klanten met dilemma's. (De levensvragen of existentiële problemen zullen in dit boek niet aan de orde komen. Zie hiervoor Veening 2014, 92-101.)

Veening onderscheidt in zijn methode drie groepen puzzels die als denkgereedschappen kunnen worden ingezet om problemen aan te pakken.

De eerste groep bevat puzzels die te maken hebben met kennisproblemen. Soms ontbreekt het mensen gewoon aan bepaalde kennis waardoor ze een probleem in het denken hebben. Het verkrijgen van die kennis is dan een belangrijke stap op weg naar een oplossing van dat probleem. Deze puzzels worden ook wel aangeduid met de term *kennispuzzels*. De vraag 'Kun je altijd *nagaan* of je je kinderen tijdelijk bij anderen kunt achterlaten?' uit hoofdstuk I is een mooi voorbeeld van zo'n kennispuzzel.

De tweede groep puzzels bevat puzzels die over waarderingen gaan, zogenoemde *waarderingspuzzels*. Vragen als 'Is het goed om je tijd te besteden aan het schrijven van een boek?' en 'Wanneer kunnen we spreken van een verantwoord politiek beleid?' vallen hieronder. Ze hebben een ethische of normatieve lading. In hoofdstuk I (eerste casus) kwamen ook al drie waarderingspuzzels aan de orde. Ter herinnering worden ze nog even genoemd:

1. Is het goed dat kinderen niet geconfronteerd worden met het seksuele leven van hun (groot)ouders?

2. Is het de plicht van (groot)ouders om te voorkomen dat kinderen worden geconfronteerd met hun seksuele leven?

3. In hoeverre mag je als ouder de verantwoordelijkheid ten aanzien van je kinderen uit handen geven?

Kennis- en waarderingspuzzels staan vaak niet op zichzelf. De nauwe relatie die tussen kennis- en waarderingspuzzels met regelmaat opduikt komt bijvoorbeeld aan het licht wanneer we nog eens naar de volgende, reeds genoemde, kennispuzzel kijken: 'Kun je altijd *nagaan* of je je kinderen tijdelijk bij anderen kunt achterlaten?' Bij nadere beschouwing lijkt bij deze puzzel meer aan de hand te zijn. In deze kwestie gaat het eigenlijk om het al dan niet *mogen achterlaten* (waarderingspuzzel) van een kind onder de conditie van het al dan niet *begrijpen* wat er dan gaat gebeuren (kennispuzzel). De uitkomst van het gepuzzel zou bijvoorbeeld kunnen zijn dat het is *geoorloofd* (oplossing van de waarderingspuzzel) om een kind achter te laten bij een bepaalde persoon omdat je *het idee hebt* (oplossing van de kennispuzzel) dat het kind bij die persoon in goede handen is. Verdere verfijningen zijn mogelijk door na te denken over *de mate* waarin iets *geoorloofd, geboden* of *verboden* is. Het gaat hier over *in hoeverre* iets *mag, moet* of *niet mag*. Ook hierover kan worden gepuzzeld. (Het is handig om een waardenhiërarchie op te stellen die vervolgens wordt gebruikt om tot plichtsoordelen of normen te komen waarin de 'moetens' en '(niet) mogens' tot uitdrukking komen.)

Tot slot zijn er de zogenoemde praktische puzzels, de derde

groep, die gaan over hoe gestelde doelen moeten worden bereikt. Het zijn puzzels die betrekking hebben op wat je moet doen om zus of zo voor elkaar te krijgen. Praktische puzzels gaan over *hoe* je van A naar B kunt komen. De ervaring leert dat de praktische puzzels het minst aan bod komen in de filosofische praktijk.

Veening formuleert het onderscheid tussen de diverse puzzels zelf als volgt:

'*Kennispuzzels* betreffen vragen als: Wat is (hier en nu, daar en dan, in het algemeen) waar? Wat is echt gebeurd? Wat gaat waarschijnlijk gebeuren? Wat heeft dat voor gevolgen? Hoe zit dat in elkaar?' Verklaren, begrijpen. *Waarheid* is het criterium voor de 'oplossing' van de puzzel.

Waarderingspuzzels betreffen vragen als: Wat is goed om te doen/ laten? Wat is kwaliteit? Wat is geoorloofd, geboden, verboden? Hoe moet/mag ik handelen en waarom?' *Goedheid* is het criterium voor de oplossing.

Praktische puzzels betreffen vragen als: Hoe pak ik het aan? Hoe krijg ik voor elkaar dat…? Hoe realiseer ik … of voorkom ik dat …? *Handigheid* is hier het criterium.'[11]

Welnu, wanneer een bezoeker met zijn 'puzzels' aan de slag gaat, wordt hij in feite zelf filosoof. Een bezoek van iemand aan een filosofisch consulent komt neer op een bezoek van een 'filosoof' aan een 'collega-filosoof' (ofwel filosofisch consulent). De 'collega-filosoof' staat tijdens het bezoek in dienst van de bezoekende filosoof en houdt daardoor in strikte zin op filosoof te zijn. Hij of zij wordt een *filosofisch consulent*!

Communicatie tussen consulent en bezoeker

In het latere werk van Veening, waaronder het boek *Het filosofisch consult* (2014), wordt ook royaal aandacht geschonken aan het communicatieve spoor tijdens het consult. Het gaat er niet alleen om hoe puzzels moeten worden opgelost, maar tevens om de manier waarop dat gebeurt. Ook op dit spoor heeft de filosofisch consulent werk te verrichten, hoewel dit werk zich niet veel onderscheidt van het werk dat andere praktijkwerkers te doen hebben.

Beroepsgroepen als psychologen, psychiaters, pastoraal en maatschappelijk werkers moeten, om hun werk goed te kunnen doen, het communicatieve spoor tijdens de gesprekken met patiënten en cliënten scherp in de gaten houden. Ze dienen te beschikken over voldoende communicatieve vaardigheden.

Er is veel literatuur beschikbaar voor een (aspirant) filosofisch consulent om zich gesprekstechnieken eigen te maken. Hoewel boeken en artikelen op het terrein van de gespreksvoering heel leerzaam kunnen zijn, zal iedere filosofisch consulent zijn eigen stijl moeten ontwikkelen. Het voeren van een helpend gesprek is eerder te beschouwen als een kunstvorm dan als een exacte wetenschap met eenduidige regels. Een ieder die kunst beoefent zal zijn eigen materialen moeten uitzoeken. De kunstenaar heeft zijn eigen weg te gaan en leert het vak alleen door heel veel te oefenen. Voor een filosofisch consulent ligt dat niet anders. Gegeven de grote hoeveelheid literatuur die over het voeren van helpende gesprekken beschikbaar is, is ervoor gekozen om in dit boek verder niet al te veel aandacht aan dit aspect van het filosofisch consult te besteden.

In de bijlage van dit boek is de Aristonide methodiek nog eens op systematische wijze weergegeven. Kenmerkend voor deze methode is dat problemen ('kopzorgen') omgezet worden in puzzels waarmee daadwerkelijk aan het werk kan worden gegaan. Dit werk vindt plaats op zowel het filosofisch inhoudelijke spoor als het communicatieve spoor. Uitgewerkte puzzellijnen vormen het resultaat.

Zoals inmiddels wel duidelijk is geworden, vindt de Aristonide filosofisch consulent het belangrijk dat hij kan uitleggen waar hij in de werkelijkheid werkzaam is, wat zijn expertise is en welke gereedschappen hij hanteert. Dit alles teneinde zich te kunnen verantwoorden aan de bezoekers en de samenleving. Maar dat het gebruik van een methode geen algemeen goed is onder filosofisch consulenten blijkt uit de lopende discussies over dit onderwerp. In hoofdstuk VI wordt nog eens uitvoerig stilgestaan bij de consequenties die verbonden zijn aan het al dan niet hanteren van een bepaalde methode door de filosofisch consulent. Echter, laten we de Aristonide methodiek eerst beter leren kennen door haar nog eens in volle actie te zien. Vermoedelijk krijgt het komende gesprek voor u als lezer veel meer betekenis door de verkregen kennis over de Aristonide methodiek.

HOOFDSTUK III

Een casus in de maatschappelijke sfeer

H et gesprek dat nu wordt beschreven kan, evenals het gesprek uit hoofdstuk I, onderdeel uitmaken van een retraite maar zou ook als een zelfstandig consult (hebben) kunnen plaatsvinden.

De fictieve casus betreft een probleem dat zijn oorsprong heeft in een ziekenhuis, een organisatie waarin veel maatschappelijke kwesties aan de orde komen. Degene die zich nu meldt bij de filosofisch consulent is een arts met een christelijke achtergrond en een christelijk wereldbeeld. Hij moet als gynaecoloog regelmatig in samenwerking met collega's beslissingen nemen over leven en dood. Hij heeft te kampen met wroeging en spanningen, omdat hij meent dat collega's behandelingen te snel staken of te makkelijk medewerking verlenen aan het beëindigen van een leven. De werkwijze van zijn collega's begint steeds meer te botsen met zijn opvattingen. De gynaecoloog vindt dat voor elk leven tot het uiterste gevochten moet worden en dat het aan God is te bepalen wanneer iemand het tijdelijke bestaan op aarde moet gaan inruilen voor het eeuwige leven na de dood. De beslissingen van de gynaecoloog wijken regelmatig af van die van zijn collega's en roepen vraagtekens op bij het team waar hij deel van uitmaakt. Zijn denken over het voortzetten of het staken van behandelingen raakt in eerste instantie op ingrijpende wijze de levens van de direct betrokkenen. Daarnaast kunnen vervelende consequenties van zijn beslissingen voor zijn maatschappelijke loopbaan niet worden uitgesloten. Hij heeft de hulp van een filosofisch consulent ingeroepen om de diverse ethische problemen waar hij voor staat goed te doordenken.

Er heeft inmiddels een oriënterend gesprek en één consult plaatsgevonden. In deze gesprekken zijn de christelijke achtergrond van de gynaecoloog en de waarden die in deze levensbeschouwing besloten liggen aan de orde geweest. Er is kort aandacht geschonken aan het feit dat deze waarden niet vanzelfsprekend zijn en niet zomaar door iedereen worden gedeeld. De vraag hoe dat kan is tijdens het eerste consult min of meer op tafel komen te liggen. De filosofisch consulent en de arts hebben in samenspraak besloten om te werk te gaan aan de hand van een schriftelijke tekst. De tekst dient als instrument om het eigen denken van de arts te ordenen en bestaande opvattingen van nieuwe argumenten te voorzien. Er zal worden gewerkt met 'Euthanasie: het embryo en de foetus' (in: *Practical Ethics*) van de Australische filosoof Peter Singer.

De arts en de consulent hebben in hun stoel plaatsgenomen en het volgende gesprek ontspint zich.

FC: 'Wat vond je van de tekst? Kun je er iets over vertellen?'

Arts: 'Die Singer schrijft lekker helder, niet te gecompliceerd en... heel gestructureerd. Dat spreekt me wel aan.'

De reactie van de arts verraadt een drietal waarden met betrekking tot tekstuele beschouwingen, te weten 'navolgbaarheid', 'eenvoud' en 'orde'. Een klein stukje van de leefwereld van de arts in wereld 3 wordt zichtbaar. Hoewel de tekst van Singer zelf toebehoort aan wereld 1, teksten bestaan immers in de vorm van inkt of bij de gratie van computerschermen, hebben de waarden van de arts betrekking op de conceptuele verbanden die achter de tekst schuilgaan. Deze conceptuele verbanden zijn abstract van aard en behoren dus tot wereld 3 en in het bijzonder tot de leefwereld van de arts in wereld 3.

FC: 'Ik begrijp dat je dit zegt. Hij staat daar ook om bekend. En de inhoud ... hoe vond je die?'

Arts: 'Als ik dat conservatieve standpunt lees waarmee Singer zijn tekst begint, dan kan ik me daar wel in vinden. Ik denk dat veel mensen mij ook wel heel conservatief vinden. Als er wordt beweerd, zoals in die tekst, dat het slecht is om een onschuldig menselijk wezen te doden, dan stem ik daarmee in. Het komt overeen met mijn christelijke visie. En als die conservatieveling in de tekst van Singer vervolgens beweert dat een menselijke foetus een onschuldig menselijk wezen is, tja..., dan kan ik daar niet zoveel tegen inbrengen. Ik bedoel, hoe kun je een menselijke foetus ergens voor verantwoordelijk houden? Jaaa, ... en dan moet ik ook die conclusie in de tekst accepteren dat het slecht is om een menselijke foetus te doden. Ik begrijp eigenlijk niet goed dat iemand anders daar totaal anders over kan denken... (aarzelend) ik vrees dat ik mijn collega's daarom ook niet goed begrijp.'

FC: 'Hoezo? Er worden in de tekst toch voldoende argumenten aangevoerd, waaronder heel liberale, die voldoende munitie geven om het conservatieve standpunt te bekritiseren? Misschien hangen je collega's wel een liberaal standpunt aan in deze kwestie. Praat je met je collega's wel eens over deze zaken?'

De consulent zoekt opheldering en daagt de arts uit.

Arts: 'We voeren regelmatig beschouwelijke gesprekken over ons vakgebied ... over de wetenschappelijke onderbouwing ervan ... de plek van ons vakgebied te midden van andere disciplines...'

FC: 'Zijn dat meer technische en wetenschappelijke bespiegelingen?'

Arts: 'Ja, eh... eigenlijk wel ja.'

FC: 'Maar weet je ook hoe je collega's vanuit een ethische invalshoek naar kwesties omtrent abortus, leven en dood kijken?'

Arts: 'Natuurlijk komen er bij het nemen van een beslissing normatieve zaken aan de orde. Maar het kader van waaruit mijn collega's denken lijkt soms zo anders te zijn. Eh, ... ja... eh, ik krijg niet altijd duidelijk wat de patronen zijn die aan hun beslissingen ten grondslag liggen...en toch zijn het weldenkende mensen... ja.'

FC: 'Mag ik heel voorzichtig en onder voorbehoud de conclusie trekken dat het je aan kennis ontbreekt van de gedachtewereld van je collega's? Een leemte waardoor er spanningen kunnen ontstaan op je werk, spanningen waarover je in het vorige consult uitvoerig sprak?'

Arts: (Fluisterend en zijn hoofd afwendend) 'Enigszins schaamtevol moet ik erkennen dat dit zo is...'

Een korte stilte volgt. De filosofisch consulent thematiseert de schaamte die de arts heeft niet. De schaamte is ook weer niet zo groot dat de balans, de ecologie, tussen de drie leefwerelden van de arts ernstig is verstoord. De consulent constateert dat er een kennispuzzel ligt die verder uitgediept kan en/of moet worden. Ook het voorgaande gesprek, het eerste consult, geeft voldoende aanleiding om hier serieus aandacht aan te besteden.

FC: 'Mag ik je voorstellen om samen met jou te kijken *hoe* we dit kennishiaat kunnen opvullen ... en eventueel de consequenties van de verkregen kennis verder te doordenken?'

Arts: 'Dat lijkt me een prima plan, maar vandaag wil ik stil blijven staan bij de tekst van Singer... ik heb er veel tijd ingestoken... en eh, daar zitten fragmenten in die me nogal bezighouden. Ik heb ze zelfs doorgesproken met mijn vrouw.'

De consulent noteert de kennispuzzel en voegt er een korte opmerking aan toe dat op een later moment op deze puzzel teruggekomen zal worden. Het woord 'hoe' in de opmerking van de filosofisch consulent geeft aan dat er vermoedelijk ook nagedacht moet worden over een praktische puzzel. Wellicht komen in dit kader ook nog waarderingspuzzels aan de orde als 'Hoever *mag* ik gaan in het bevragen van het geestesleven van mijn collega's?' en 'In hoeverre *moet* ik zonder voorbehoud hun mening accepteren?'. Duidelijk is dat er voldoende redenen zijn om voor de doordenking van de gerezen kennispuzzel ruimte en tijd in te lassen. De filosofisch consulent meent dat het tijdelijk laten rusten van de kennispuzzel het denkproces van de arts niet doet stagneren en gaat mee in de wens van de arts. Bij een andere taxatie had hij dat natuurlijk niet gedaan. Een consulent wordt immers ingehuurd om de lijn(en) van de gesprekken en daarmee de denksporen die worden gevolgd in de gaten te houden.

FC: 'Kun je aangeven welke passage je het meeste aan het denken heeft gezet?'

Arts: 'Jazeker, ik zal dat gedeelte wel even voorlezen.'

FC: 'Oké.'

Arts: 'Ehm... Ja, hier is het: "Als noch de geboorte noch de levensvatbaarheid een moreel belangrijke scheidslijn markeert, is er nog minder te zeggen voor een derde kandidaat, de eerste beweging in de baarmoeder. Hierbij voelt de moeder voor het eerst de foetus bewegen en volgens de traditionele katholieke theologie meende men dat dit het moment was waarop de foetus zijn ziel kreeg. Als we dit onderschrijven, zouden we deze eerste bewegingen belangrijk kunnen vinden omdat de ziel, in de christelijke visie, datgene is wat een mens onderscheidt van de dieren. Maar het idee dat de ziel neerdaalt in de foetus op het moment waarop deze zich voor het eerst beweegt, is een ouderwetse vorm van bijgeloof, die zelfs door katholieke theologen tegenwoordig niet meer wordt aangehangen. Met het verwerpen van deze religieuze doctrines wordt het eerste bewegen onbelangrijk. Het is niets anders dan het moment waarop men voor het eerst voelt dat de foetus uit zichzelf beweegt. Lang voor dit moment leeft de foetus, en echoscopie heeft aangetoond dat foetussen al zes weken na de bevruchting bewegen, lang voordat je dat kunt voelen. In ieder geval heeft het vermogen tot fysieke beweging – of het ontbreken daarvan – niets te maken met de mate waarin iemand aanspraak kan maken op een recht om in leven te blijven. Wij zien het ontbreken van zo'n vermogen niet als een ontkenning van de aanspraken die verlamde patiënten hebben op het recht om te blijven leven."[12] Ja, een mond vol, hè.'

FC: 'Ehm, ... wat waren of zijn je gedachten bij deze passage?'

Arts: 'Oef, ... wat betreft die echoscopie... dat is natuurlijk gewoon zo. Ik zie dat dagelijks op mijn werk. Daar hoeven we het niet over te hebben.'

De filosofisch consulent ziet een opgeloste kennispuzzel die een deel van de leefwereld van de arts in wereld 3 blootlegt. Beweringen en kennisclaims waarmee iemand instemt worden in de

Aristonide methodiek beschouwd als opgeloste kennispuzzels. De claim die de arts onderschrijft is: 'Echoscopie toont aan dat foetussen al zes weken na de bevruchting bewegen.' De dagelijkse bevindingen van de arts versterken zijn vertrouwen in het instrumentarium dat uit wetenschappelijke kennis voortvloeit.

Het wetenschappelijk instrumentarium, waaronder de echoscopie, kan worden gezien als een gematerialiseerd stuk kennis. Concepten en theorieën uit wereld 3 lijken te kunnen 'condenseren', te kunnen 'stollen' tot objecten in wereld 1. De gestolde stukken kennis kunnen worden waargenomen (wereld 2) en op hun beurt de ontwikkeling van nieuwe ideeën en theorieën (wereld 3) tot gevolg hebben.

De opgeloste kennispuzzel geeft een gedachtespoor aan waarop de arts zich beweegt. De arts ruimt namelijk in zijn leefwereld binnen wereld 3 een belangrijke plaats in voor wetenschappelijke kennis. Maar dit was eigenlijk ook al duidelijk geworden door zijn uitlatingen over de gesprekken die hij met zijn collega's voert.

Arts: 'Wat me aan het denken heeft gezet, is de vraag naar het ontstaan van bewustzijn, het moment van het indalen van de ziel in de foetus, zoals ik dat toch graag blijf noemen. Ik bedoel… ik realiseerde me bij het lezen van deze passage hoe moeilijk het is om te bepalen wanneer je een mens een mens mag noemen. Maar juist het feit dat foetussen al zes weken na de bevruchting bewegen brengt mij ertoe om een foetus al in een heel vroeg stadium als menselijk te erkennen. Misschien wel heel conservatief allemaal.'

FC: 'Je gaat een beetje snel… ik volg je niet helemaal. Dieren kunnen toch ook bewegen zonder over een menselijke ziel te beschikken?'

De filosofisch consulent stelt hier de oplossing van een kennispuzzel, zoals deze wordt gepresenteerd door de arts, opnieuw aan de orde. De arts meent te kunnen beweren (oplossing van een kennispuzzel) dat wanneer een foetus eenmaal beweegt het predicaat 'menselijk' aan de foetus kan worden toegekend.

Een taak van een filosofisch consulent en eigenlijk van filosofen in het algemeen is het vragen van aandacht voor aannames die redelijk vanzelfsprekend lijken en het op de rem trappen bij redeneringen die te snel worden gemaakt. Aannames en al dan niet vermeende feiten die geuit worden zijn te beschouwen als (in)correct of deels correct opgeloste kennispuzzels. Om verborgen aannames en ideeën aan het licht te brengen, is het goed om een redenering opnieuw onder de loep te nemen en nog eens rustig uiteen te rafelen. Het kan zijn dat dergelijke verborgen aannames en ideeën de oorzaak zijn van inconsistenties, onzekerheden of problemen in het denken.

Arts: 'Ja, … zoals ik er nu over denk lijkt het me dat die menselijke ziel al heel vroeg indaalt bij een foetus …maar deze ziel is aanvankelijk nog maar heel beperkt wat betreft z'n vermogens. Misschien kan zo'n ziel veel minder dan een ziel van een volwassen dier zoals bijvoorbeeld de ziel van een paard of van een ander intelligent dier. Ehm, … zo'n menselijke ziel kan al wel bewegingen bij de foetus in gang zetten, maar daar blijft het dan ook bij. Zo'n ziel moet zich, in combinatie met het lichaam, nog gaan ontwikkelen.'

FC: 'Even voor de duidelijkheid, volgens jou moet er al heel vroeg tijdens de zwangerschap over een ménselijke foetus worden gesproken. Niet?'

Arts: 'Inderdaad. Ik ben van mening dat de ontwikkeling van embryo naar baby een heel geleidelijk proces is. Mijn ervaringen en waarnemingen als gynaecoloog bevestigen deze zienswijze keer op keer. Ik ben blij dat Singer ziet dat dit een moeilijk te weerleggen opvatting is.'

Wanneer we de opvattingen van de arts vertalen naar de driewereldentheorie, dan bestaat een foetus aanvankelijk alleen in wereld 1. De foetus heeft gedurende deze fase alleen een biologisch bestaan. (De onderliggende chemische en natuurkundige organisatieniveaus zijn daarin meegenomen.) Al vrij vlot wordt daar volgens de arts een leefwereld in wereld 2 aan toegevoegd. Vanaf het moment dat de ziel indaalt, heeft de foetus ook een leefwereld in wereld 2, hoe beperkt dan ook. Uit de opmerkingen van de arts wordt duidelijk dat de leefwereld in wereld 2 invloed kan uitoefenen op de leefwereld in wereld 1. De ontwikkeling van embryo naar baby lijkt in de visie van de arts een groeiproces waarbij zowel de leefwereld in wereld 1 als de leefwereld in wereld 2 is betrokken.

Vertalingen van filosofische posities en opvattingen naar de driewereldentheorie kunnen vaak verhelderend werken en een vergelijking van botsende ideeën binnen één conceptueel kader mogelijk maken. Zo zou bijvoorbeeld het denken van de arts over de relatie tussen ziel en lichaam binnen één conceptueel schema kunnen worden geconfronteerd met het filosofische programma waarbij alle mentale dingen en gebeurtenissen tot neurale activiteiten worden gereduceerd. Maar laten we niet te ver afdwalen en de boeiende dialoog tussen de arts en de consulent verder volgen.

FC: 'Oké, ik wil nog even stil blijven staan bij dat begrip 'menselijk'. (Lachend) Ik ben nogal traag van begrip zoals je weet … Je lijkt in je eerste reactie op de tekst de bewering, dat het slecht is om een onschuldig menselijk wezen te doden, volledig te accepteren. En je accepteert ook de bewering dat een menselijke foetus een onschuldig menselijk wezen is. Toch?'

Arts: 'Ja, dat klopt.'

Even tussendoor voor u als lezer, het argument waarop de arts zijn eerste reactie gaf verloopt als volgt:

Eerste premisse: het is slecht om een onschuldig menselijk wezen te doden.

Tweede premisse: een menselijke foetus is een onschuldig menselijk wezen.

Conclusie: daarom is het slecht om een menselijke foetus te doden.[13]

Het gesprek tussen de consulent en de arts gaat verder.

FC: 'Singer maakt verderop in de tekst een nogal kritische opmerking over deze beweringen. Hij vraagt aandacht voor het feit dat het begrip 'menselijk' een begrip is dat twee verschillende ladingen dekt. Aan de ene kant zou het begrip 'menselijk' betrekking hebben op het behoren tot de soort 'Homo sapiens', aan de andere kant heeft dit begrip betrekking op het 'persoon-zijn'. De redenering van Singer verloopt nu als volgt…ehm, ja, … laat ik dat stukje tekst ook maar even voorlezen: "Als we het begrip eenmaal op die manier hebben ontleed, wordt de zwakheid van de eerste conservatieve premisse duidelijk. Als 'menselijk' gezien wordt als het equivalent van 'persoon', is de tweede premisse van de redenering, die verklaart dat de foetus een menselijk wezen is, duidelijk verkeerd; want je kunt niet hard maken dat een foetus rationeel is of zelfbewust. Als 'menselijk' daarentegen louter gezien wordt als 'behorend tot de soort Homo sapiens', is de conservatieve verdediging van het leven van de foetus gebaseerd op een eigenschap die geen morele betekenis heeft en klopt de eerste premisse niet. Dit zou langzamerhand vertrouwd moeten zijn: de vraag of een wezen al dan niet tot onze soort behoort, is op zichzelf niet belangrijker in dit verband dan de vraag of het al dan niet tot ons ras behoort. De overtuiging dat louter het behoren tot onze soort, ongeacht andere eigenschappen, een groot verschil betekent, is een erfenis van religieuze dogma's die zelfs de tegenstanders van abortus slechts aarzelend in het debat naar voren brengen."[14] Nou, … ook dit is een mond vol. Werd je niet van je stuk gebracht toen je deze redenering las?'

De filosofisch consulent spiegelt het gedrag van de arts en opereert hier niet alleen op inhoudelijk filosofisch niveau maar gaat mee in de wijze waarop de arts communiceert. Met het voorlezen van stukjes tekst, om het gesprek vorm te geven en goed te laten verlopen, wordt door beiden ingestemd. Er wordt niet expliciet om toestemming gevraagd dit te doen, maar stilzwijgend is er een soort contractje gesloten. Veel aspecten van communicatieve aard hebben met het sluiten van dit soort contractjes te maken. Ze maken deel uit van de psychologische en sociale processen die zich afspelen tussen de gesprekspartners in de spreekkamer van de filosofisch consulent.

Arts: 'Nou, aanvankelijk wel… maar toen ik deze frase voor de tweede keer las niet. Het drong toen beter tot me door. Ik ben inmiddels gewend aan het feit dat mensen het idee, namelijk de mens te zien als de kroon op Gods schepping, niet accepteren en uit de tijd vinden. Ik heb een wetenschappelijke opleiding genoten met een grote dosis chemie en biologie. Dus eh,… ik weet echt wel wat de rol van Darwin is geweest voor onze opvattingen over de vraag waar de mens staat in de natuur. Maar voor mij kunnen die zaken samengaan. Het behoren tot onze soort is, in isolatie genomen, volgens mij wel van belang voor de discussie… het gegeven op zich van mens-zijn … Ik heb hier met mijn vrouw regelmatig gesprekken over aan de keukentafel…'

FC: 'Voordat we hier op doorgaan… vind je het praten met elkaar aan de hand van de tekst van Singer een goede manier van werken of vind je het onbevredigend?'

Arts: 'Nee, nee … laten we zo maar doorgaan. Ik vind het wel prima dat ik de kans krijg mijn gedachten en opvattingen nog eens uit te spreken zonder dat er direct waardeoordelen worden geveld. Het biedt ruimte… En toegegeven, ook al ben ik het vaak niet met Singer eens, hij dwingt me om nieuwe argumenten onder ogen te zien … dat sterkt me eigenlijk wel … Ik denk ook dat deze gesprekken een soort training voor me zijn om straks met mijn collega's in gesprek te gaan…'

Hier vindt een kort gesprekje op metaniveau plaats waarin de consulent checkt of er nog goed wordt gewerkt en of de bezoeker van de praktijk wel krijgt waar hij voor is gekomen. Het kleine intermezzo biedt op een natuurlijke manier de gelegenheid om de glazen die op tafel staan met water bij te vullen. De filosofische gedachtewisseling tussen de consulent en de arts wordt niet door non-verbaal gedrag op een storende wijze onderbroken. De filosofisch consulent herneemt het woord en pakt de draad van het gesprek op.

FC: 'Je bent dus van mening dat de mens de kroon op Gods schepping is en je bent bereid om op basis daarvan een zekere ethiek te …' En de filosofisch consulent herhaalt de redenering van de arts.

De filosofisch consulent opereert hier op het communicatieve spoor. Hij controleert of hij de arts goed begrepen heeft en of hij in staat is een goede samenvatting te geven. Tot zover het consult.

Uit deze casus wordt duidelijk dat een religieus wereldbeeld, evenals een humanistisch, atheïstisch of polytheïstisch perspectief, aanknopingspunten biedt om een filosofisch gesprek met elkaar te voeren. Wat steeds centraal staat is de intellectuele leefwereld van de bezoeker van de praktijk die op een respectvolle wijze door de filosofisch consulent tegemoet wordt getreden. De filosofisch consulent staat volledig in dienst van zijn gesprekspartner en stelt zijn kennis en kunde tegen betaling beschikbaar. De 'leefwereld' van een bezoeker is *na* een filosofisch consult (tijdstip t2) niet meer dezelfde als die *voor* het consult (tijdstip t1). Zonder dat het tot de doelstellingen van het filosofisch consult behoort, oefent de 'nieuwe leefwereld' in wereld 3 invloed uit op de leefwerelden in wereld 2 en in wereld 1. Kortom, het leven van de bezoeker van de praktijk is op verzoek door een gerichte intellectuele interventie veranderd.

Schematisch weergegeven:

$$\text{leefwereld 3}_{t1} \longrightarrow \text{consult} \longrightarrow \text{leefwereld 3}_{t2} \nearrow \text{leefwereld 2} \searrow \text{leefwereld 1}$$

'Leefwereld 1' is de leefwereld van een bezoeker binnen wereld 1.
'Leefwereld 2' is de leefwereld van een bezoeker binnen wereld 2.
'Leefwereld 3' is de leefwereld van een bezoeker binnen wereld 3.
Tijdstip 't1' is een tijdstip dat ligt voor tijdstip 't2'.

↗ Deze pijl staat voor 'invloed uitoefenen op'.

Een filosofisch consult is erop gericht om een nieuwe verblijfplaats binnen wereld 3 te creëren en/of het ecologisch herstel tussen de verschillende leefwerelden (1,2 en 3) te bewerkstelligen. Het doel waarvoor het filosofisch consult als middel wordt ingezet is het vergroten van de 'leefbaarheid'. De kwaliteitsverbetering kan op tal van manieren gestalte krijgen. We zullen een zestal voorbeelden bekijken.

Ten eerste. Mensen kunnen vastzitten in cirkel- en drogredeneringen. Het doorbreken hiervan kan leiden tot het inslaan van nieuwe denkpaden. Wanneer deze paden eenmaal zijn ingeslagen worden misschien nieuwe ervaringen opgedaan en komen nieuwe handelingsperspectieven binnen bereik. Het leven 'stokt' niet langer.

Ten tweede. Het is mogelijk dat de autonomie van mensen toeneemt. Door het verzetten van denkwerk en het doen van serieuze training kan er een andere verhouding met de omgeving ontstaan. Een verminderde afhankelijkheid van anderen, organisaties en sociale structuren kan het directe gevolg zijn van het zoeken naar een andere verblijfplaats binnen wereld 3. De casus in dit hoofdstuk is daar een mooi voorbeeld van. De arts zegt letterlijk dat de training die plaatsvindt tijdens het consult hem sterkt om met zijn collega's in debat te gaan.

Ten derde. Het ophelderen van een intellectueel probleem kan op zichzelf al een verrijkende bezigheid zijn en bijdragen tot een zinvol leven. Hetzelfde geldt voor het ontdekken van een samenhang of van verbanden tussen ideeën en opvattingen. Ook hier wordt de leefbaarheid van een leven vergroot.

Ten vierde. Regelmatig leidt het wegnemen van een 'blinde vlek' tot het (opnieuw) op gang brengen van de communicatie tussen mensen. Onbegrip ontstaat vaak doordat men niet in staat is de 'leefwereld' van anderen te doorgronden of op waarde te schatten. Zo'n blinde vlek kan de vorm hebben van een kennishiaat, het volgen van een in logisch opzicht verkeerde redenatie of het ten onrechte vasthouden aan bepaalde waarden. Ook hiervan vormt de casus in dit hoofdstuk een mooi voorbeeld. Het werd duidelijk dat het de arts aan kennis ontbreekt omtrent de kaders en denkpatronen van zijn collega's. Er was sprake van een kennishiaat. (In het komende hoofdstuk, waarin een nieuwe casus wordt gepresenteerd, wordt zichtbaar wat de consequenties kunnen zijn als de logische wetten van het redeneren niet worden gerespecteerd.)

Ten vijfde. Het 'reframen' van opvattingen leidt tot een verschuiving in het denken en heeft invloed op de manier waarop gebeurtenissen of situaties worden geïnterpreteerd. Stel bijvoorbeeld dat iemand nogal impulsief tot het volgende negatieve waardeoordeel over zichzelf is gekomen: 'Ik ben lui.' Het serieus overdenken van het waardepatroon dat aan dit oordeel ten grondslag ligt leidt wellicht tot het positieve waardeoordeel: 'Ik mag me ontspannen.' Gedragingen komen nu in een ander daglicht te staan. De desbetreffende persoon kijkt na het 'reframen' met een andere bril naar zichzelf. Zijn of haar zelfbeeld is definitief veranderd als gevolg van een 'gestaltswitch'. Misschien is enige toelichting aan de hand van een fragment uit de filosofische traditie waardevol.

De wetenschapsfilosoof Thomas Kuhn (1922-1996) heeft laten zien dat het 'frame' of 'paradigma' (of 'conceptueel kader') van waaruit naar een gebeurtenis of experiment gekeken wordt bepaalt wat er zintuiglijk wordt waargenomen. Met behulp van de 'eend-konijn illusie' van de Amerikaanse psycholoog Joseph Jastrow liet Kuhn zien dat de waarneming van iets zeker niet neutraal is maar wordt geleid door de interesses en de kennis van de waarnemer. De gedachte aan een konijn of iets wat daarmee wordt geassocieerd, heeft de waarneming van een konijn in de figuur van Jastrow tot gevolg. Hetzelfde geldt voor de waarneming van een 'eend' in deze figuur. Iets 'eend-achtigs' in de mentale huishouding van de waarnemer stuurt de interpretatie van de tekening en heeft de waarneming van een eend als resultaat. Zintuiglijke waarnemingen zijn dus niet passief en neutraal maar actief en 'theoriegeladen'. De mate waarin waarnemingen theoriegeladen zijn vraagt om een zelfstandige doordenking.

De filosofisch consulent kan concepten of opvattingen van zijn gesprekspartner 'reframen' om op die manier nieuwe gedachtespo-

'Eend-konijn illusie'
van Joseph
Jastrow (1899)

ren te helpen ontwikkelen voor de puzzels die op tafel liggen. De gedachtesporen die opdoemen, kunnen verder worden onderzocht en belichamen nieuwe denkruimte. De veranderingen die als gevolg van het 'reframen' plaatsvinden op het niveau van de zintuiglijke waarneming, worden tijdens een consult niet direct tot gespreksonderwerp verheven. Dat wordt anders op het moment dat de bezoeker aangeeft na te willen denken over de nieuwe ervaringen.

Ten zesde. Het opnieuw bepalen van iemands identiteit kan soms hard nodig zijn wanneer deze is aangetast door een of meerdere ingrijpende gebeurtenissen. Het overlijden van een partner, het verliezen van een baan of een noodzakelijke verhuizing kan ertoe leiden dat iemand behoefte krijgt aan reflectie op zijn of haar zelfbeeld. Het levensplan met alle bijbehorende waarden dat was uitgestippeld en een zekere identiteit waarborgde heeft een forse deuk opgelopen en moet worden aangepast.

Tot zover de zes voorbeelden van kwaliteitsverbeteringen die kunnen worden aangebracht om de 'leefbaarheid' van leefwerelden te doen toenemen. Het is belangrijk op te merken dat niet van tevoren vaststaat hoe deze 'leefbaarheid' eruit moet zien. Er wordt ook geen criterium door de filosofisch consulent opgelegd bij de beoordeling van wat (optimaal) 'leefbaar' is. Een dergelijk vooropgezet plan past niet in de Aristonide methodiek. In de Aristonide methodiek heeft de filosofisch consulent niet tot taak de ander, hetzij impliciet hetzij expliciet, te vertellen hoe te denken en hoe te leven. De bezoeker van de praktijk heeft altijd het laatste woord als het gaat om de beoordeling van de 'leefbaarheid'.

Naast de inhoudelijke middelen die de filosofisch consulent tot zijn beschikking heeft om in samenwerking met de bezoeker de leefbaarheid binnen wereld 3 te vergroten, kan hij ook verschillende rollen aannemen om dit doel te bereiken. Zo kan de consulent bijvoorbeeld de rol aannemen van sparringpartner of die van leverancier van nieuwe ideeën. In het laatste geval staat de consulent een filosofische traditie van maar liefst meer dan 2500 jaar ter beschikking.

Het komt ook voor dat de filosofisch consulent tijdens een consult de rol van docent aanneemt.

Arts: 'Ehh, … ik ben nu wel bezig om mijn denken op orde te krijgen en te verstevigen maar hoe denk jij zelf eigenlijk over deze zaken? En hoe verhoudt zich dat dan tot andere filosofen?'

FC: 'Ik wil best iets over mijn opvattingen en ideeën vertellen. Ik vind het niet erg om wat van mijn persoonlijk denken te openbaren. Maar eh, … je hoeft het niet eens te zijn met wat ik zeg. Ehm, … realiseer je dat mijn praten kostbare tijd van jouw kant vergt.'

Arts: 'Dat begrijp ik, maar dat is zeker geen probleem. Ik vermoed dat ik er wat van op kan steken.'

FC: 'Oké, eh…, ik ben erg gecharmeerd van de gedachte dat mensen opgebouwd zijn uit verschillende organisatieniveaus. Ik bedoel daar het volgende mee. Mensen zijn om te beginnen opgebouwd uit fysische elementen en structuren die door fysici, chemici en biologen kunnen worden bestudeerd …'

Een klein college over de driewereldentheorie heeft een aanvang genomen.

De filosofisch consulent wordt hier door zijn gesprekspartner uitgenodigd om zijn eigen standpunten uiteen te zetten en te laten zien hoe deze in de filosofische traditie zijn verankerd. De consulent krijgt de gelegenheid om te doceren maar zal ook in de gaten moeten houden in hoeverre hier prijs op wordt gesteld. Hopelijk wordt de leefwereld (in wereld 3) van de arts vergroot door het vergaren van nieuwe concepten, ideeën en dergelijke, middels het exposé van de consulent.

Al met al creëert het filosofisch consult een denkruimte waarin beter kan worden geademd om daarna het leven verder te leven met meer of andere intellectuele bouwstoffen.

De filosofie zelf krijgt in de gestalte van het filosofisch consult een geheel eigen karakter. Dat de filosofie zeer verschillende gedaanten aan kan nemen is bekend. Zo kan ze gebruikt worden om wetenschappen van een grondslag te voorzien, bijdragen aan de totstandkoming van een staatsinrichting, een instrument zijn voor kritische analyse, de leverancier zijn van nieuwe idealen en waarden, de belichaming van de ideeëngeschiedenis vormen en de constructeur zijn van nieuwe concepten en structuren. De verschillende verschijningsvormen van de filosofie kunnen de filosoof steeds weer in een andere rol plaatsen. Deze rollen kunnen naast elkaar bestaan en hoeven elkaar niet uit te sluiten. De filosoof die zich opwerpt als filosofisch consulent laat de bezoeker van zijn praktijk mee profiteren van de resultaten van zijn persoonlijke missie om het bestaan en de werkelijkheid beter te begrijpen, te doordenken en/of een goed leven te leiden.

Er kunnen, zoals is gebleken, verschillende redenen zijn om de hulp van een filosofisch consulent in te schakelen of in retraite te gaan. Een-op-een gesprekken bieden de maximale aandacht van de filosofisch consulent aan de bezoeker. Echter, consulten met meerdere deelnemers kunnen ook hun eigen waarde hebben. De verschillende perspectieven en opvattingen en de kennis die de deelnemers met zich meebrengen, kunnen op een natuurlijke manier het filosofisch gesprek op een hoger plan brengen. In de komende casus wordt hier een voorbeeld van gegeven.

HOOFDSTUK IV

Een casus in de politieke sfeer

D e casus in dit hoofdstuk speelt zich af in de politieke en sociale sfeer van het menselijk bestaan. We treffen een situatie aan waarbij drie mensen op hetzelfde moment in een filosofische retraite zijn.

Het drietal bestaat uit de minister van onderwijs, een docent uit het middelbaar onderwijs en een moeder van een dochter van 15.[15] De minister van onderwijs (Marie) voelt zich om onduidelijke redenen niet thuis in de ministersploeg en wil proberen daar opheldering over te krijgen. De docent uit het middelbaar onderwijs (Henk) zit met een burn-out thuis en twijfelt of hij door moet gaan met zijn huidige baan of een carrière-switch moet maken. De moeder (Gerda) van de 15-jarige scholiere had gewoon zin om zich eens te verdiepen in de vorming van hedendaagse pubers. Een leuke, ontspannende omgeving leek haar daar een geschikte plek voor. Na een paar dagen in retraite te zijn geweest, treft het drietal elkaar toevalligerwijs in een gemeenschappelijk vertrek. Tijdens deze ontmoeting ontspint zich een gesprek over de relatie tussen onderwijs en opvoeding. Inmiddels hebben ze alle drie een individueel consult gehad. Ze zijn dus bekend met het werk van de filosofisch consulent. Na een kort overleg besluiten ze om een wandeling te maken en de filosofisch consulent als gespreksleider mee te vragen. (Het initiatief om een wandeling te maken kan genomen worden door de filosofisch consulent, de leider van de retraite, maar dus ook door de deelnemers zelf.) Een aantal inleidende opmerkingen is hier op zijn plaats.

In het voorwoord van dit boek is al aangegeven dat de opgevoerde casussen fictief van aard zijn en zodanig zijn opgezet dat de Aristonide methodiek zo goed mogelijk tot uitdrukking komt. Inmiddels is er ruime ervaring opgedaan door consulenten die deze methode bij een-op-een gesprekken in hun praktijk toepassen. Voor de groepsgesprekken ligt dat echter anders. Op dit terrein bevindt het gebruik van de Aristonide methodiek zich in een beginfase en moet zij haar weg nog vinden, zeker gezien het feit dat losse individuen die in retraite zijn eerst moeten ontdekken of ze gemeenschappelijk denkwerk te doen hebben. Misschien moet voor dit traject nog zelfstandig gereedschap worden ontwikkeld. Dit alles laat onverlet dat er met vertrouwen aan de slag kan worden gegaan.

De rechtvaardiging van de inzet van de Aristonide methodiek tijdens gesprekken waarbij meerdere deelnemers zijn betrokken is, evenals bij een-op-een gesprekken, gelegen in het feit dat het werkdomein en het denkgereedschap van de filosofisch consulent helder kan worden omschreven. In plaats van één leefwereld binnen wereld 3 centraal te stellen tijdens een gesprek, namelijk die van de individuele bezoeker van de praktijk, zijn er bij een groepsgesprek meerdere leefwerelden aan de orde. Deze kunnen nauwkeurig worden benoemd en geplaatst. Immers, elke leefwereld is te beschouwen als een subverzameling binnen wereld 3. De verschillende leefwerelden van de deelnemers aan een retraite zullen elkaar in mindere of meerdere mate overlappen.

Evenals bij individuele gesprekken kunnen tijdens groepsgesprekken kennis-, waarderings- en praktische puzzels worden onderscheiden en verder worden uitgewerkt. Dus wat de inzet van denkgereedschappen betreft zijn er geen verschillen tussen individuele en groepsgesprekken waar te nemen. Terug naar de casus waarin drie mensen besloten hebben gezamenlijk serieus aan de slag te gaan met hun denkwerk. Het voorstel aan de filosofisch consulent is gedaan.

FC: 'Wat een leuk plan om met dit clubje een filosofische wandeling te gaan maken.'

De filosofisch consulent kent het drietal van de individuele gesprekken die hij met hen heeft gevoerd. Hij is bekend met hun beweegredenen om deel te nemen aan een filosofische retraite. Het doel dat hij zichzelf stelt is om eerst tot een of meerdere gemeenschappelijke puzzels te komen waar daadwerkelijk mee aan het werk kan worden gegaan. Hij zal tijdens het voeren van dit collectieve gesprek alle vertrouwelijke informatie, die hem tijdens de individuele gesprekken ter ore is gekomen, niet zelf introduceren. Zoals al aangegeven, is er niet één individuele intellectuele leefwereld waar hij mee aan de slag moet gaan maar zijn er nu drie leefwerelden aan de orde. De vereniging van de drie individuele leefwerelden tezamen vormt één collectieve leefwereld.[16] (Deze collectieve leefwereld is, evenals de afzonderlijke leefwerelden, weer te geven als een subverzameling binnen wereld 3.) De strategie die de filosofisch consulent volgt heeft veel weg van de strategie van een simultaanschaker. De consulent zal tegelijkertijd op drie borden moeten schaken maar ook nog eens rekening moeten houden met alle interacties. Het gesprek met het drietal verloopt als volgt:

FC: 'Ik heb begrepen dat jullie spontaan met elkaar in gesprek zijn geraakt. Waar ging jullie gesprek over? Wie mag ik het woord geven?'

Gerda: 'Ik wil wel beginnen. Echt gemakkelijk is het niet om precies te vertellen waar het gesprek over ging. Ik bedoel...eh... we hebben het gehad over de situatie op de school van mijn dochter en de politieke ideeën die tijdens de lessen maatschappijleer worden besproken.'

FC: 'Vertel eens verder.'

Gerda: 'Mijn dochter zit op een openbare school, maar desondanks heb ik de indruk dat de lessen maatschappijleer niet helemaal neutraal worden gebracht. En dit beïnvloedt mijn dochter op een verkeerde manier. Lessen moeten naar mijn idee noch een politieke noch een religieuze kleur hebben. Ja... en ik vind ook dat Den Haag erop moet toezien dat dat soort dingen niet gebeuren. Eh... ik heb dit ook al tegen Marie en Henk gezegd.'

FC: 'Zou je jullie gespreksonderwerp in een vraag, een puzzelachtige vorm, kunnen gieten? Ik bedoel ... een vraag waarover we op een beschouwelijke manier verder van gedachten kunnen wisselen.'

De filosofisch consulent kijkt wat er gebeurt als hij op een heel directe manier de stap naar de formulering van een welgevormde puzzel probeert te zetten.

Na enig nadenken.

Gerda: 'Ja... jawel. Ik weet niet of Henk en Marie ermee kunnen instemmen... maar, eh ... ik dacht iets als: *'Is waardevrij onderwijs mogelijk en als waardevrij onderwijs mogelijk is, moet daar dan via wetgeving controle op zijn?'* Zoiets...'

FC: 'En Henk en Marie, kunnen jullie je hierin vinden?'

Marie: 'Ik denk dat deze vraag de lading van ons gesprek voldoende dekt en dat het goed is om hier op door te gaan...'

Henk: 'Helemaal mee eens.'

Er is nu een situatie ontstaan die als volgt onder woorden kan worden gebracht: 'Gerda, Henk en Marie proberen x te *begrijpen*.' De letter 'x' staat voor de bewering dat waardevrij onderwijs (on)mogelijk is en dat als waardevrij onderwijs mogelijk blijkt te zijn er dan via wetgeving (geen) controle op moet worden uitgeoefend. De kwestie die doorgrond en *begrepen* moet worden is objectief van aard en een volwaardig element van wereld 3. De filosofisch consulent kan instemmen met het aan de slag gaan met een dergelijke puzzel. Gezien het belang van dit moment in het groepsgesprek is het misschien verstandig om iets langer bij deze instemming stil te staan.

Situaties als 'Gerda, Henk en Marie *geloven* dat x' en 'Gerda, Henk en Marie *weten* dat x' geven houdingen aan in wereld 2. Ze geven aan welke subjectieve mentale houdingen ('propositional attitudes') worden ingenomen ten aanzien van een bewering of concept in wereld 3. Werk van deze subjectieve houdingen maken is iets wat de filosofisch consulent niet beoogt en waar hij ook niet voor wil worden ingehuurd. Er dient dus een duidelijk onderscheid te worden gemaakt tussen 'weten' en 'geloven' op het niveau van wereld 2 en het 'doorgronden' en 'begrijpen' van zaken op het niveau van wereld 3.[17]

Met het begrip 'weten' wordt ook vaak een particuliere waarneming (wereld 2) bedoeld terwijl het begrip 'begrijpen' verwijst naar mechanismen of een theorie (wereld 3) die achter die waarneming schuilgaan. De waarneming van de zonsopgang of ondergang in combinatie met onze kosmologische kennis is hier een mooi voorbeeld van. In dit voorbeeld is de waarneming van de zonsopgang of ondergang op te vatten als een vorm van 'weten'. Het besef dat het draaien van de aarde om de zon ten grondslag ligt aan deze waarneming is op te vatten als een vorm van 'begrijpen'.

De filosofisch consulent constateert dat zowel Gerda als Henk als Marie aan de slag wil binnen wereld 3 met een welgevormde puzzel. Een welgevormde puzzel is een puzzel die door zijn objectieve en algemene karakter in principe voor *iedereen* interessant kan zijn en niet slechts voor een individu of een beperkte groep mensen. Uiteraard hoeft een filosofisch consulent zijn gesprekspartners niet lastig te vallen met zijn overwegingen om een puzzel al dan niet als een geschikte puzzel te bestempelen.

Met de instemming van Henk en Marie (en de filosofisch consulent) om met de voorliggende puzzel te gaan puzzelen kan de **inhoudsfase** gelijk van start gaan.

FC: 'Oké. Ehm, … Gerda, toen je aangaf, tegenover Marie en Henk, dat je dochter verkeerd wordt beïnvloed op school, heb je toen ook gezegd waarom je die indruk kreeg?'

Gerda: 'Ja, dat eh… lijkt me wel ja. Mijn man en ik zijn in politiek opzicht links georiënteerd. We proberen de waarden en normen die bij een progressieve levenssfeer horen over te brengen aan onze kinderen. Dit heb ik Marie en Henk verteld. Ik heb hun ook verteld dat de leraar maatschappijleer veel rechtsere denkbeelden heeft, wat heel duidelijk tot uitdrukking komt in het lesmateriaal dat hij gebruikt. Ze gebruiken op dit moment op school een boekje waarin het marktdenken als oplossing voor de problemen in de gezondheidszorg wordt gepropageerd. Ik vind het ronduit belachelijk.'

Henk: 'Als ik heel even mag reageren ... zoals ik al zei... ik vind niet dat je uit het feit dat die docent maatschappijleer een boekje tijdens de lessen gebruikt met misschien rechtse denkbeelden mag afleiden dat die docent zelf ook rechts is of zelfs heel bewust rechts gedachtegoed overbrengt op de leerlingen. Misschien gebruikt hij dat lesmateriaal om rechtse denkbeelden samen met zijn leerlingen heel kritisch te bezien. Ik bedoel... het is nogal gemakkelijk...'

Gerda: 'Ja, dat kan zijn. Maar luister eens... (Gerda raakt enigszins geagiteerd.) *Als* die leraar een boekje gebruikt met rechtse denkbeelden, *dan* beïnvloedt hij stomweg mijn dochter. En gezien het feit dat mijn dochter momenteel thuiskomt met rechtse praat, ... ze is duidelijk beïnvloed..., dan kun je ervan uitgaan dat dit komt door het gebruik van dat rechtse boekje. Niet?'

FC: 'Nee, hier maak je een puur logische denkfout, Gerda.'

Het gezelschap stopt even met lopen omdat de filosofisch consulent een papiertje en een pen pakt. Hij gaat met deze middelen proberen zijn opmerking uit te leggen.

FC: 'In de filosofie heet de discipline die het redeneren bestudeert 'logica'. Het gaat in de logica niet over de inhoud van beweringen en de inhoud van redenaties die worden gevolgd, maar uitsluitend over de structuren van het redeneren zelf. Ik vrees dat ik iets technischer moet worden... Wanneer je een redenatie neemt van de vorm 'Als A dan B' en de bewering 'A' is gegeven, dan mag je 'B' concluderen. Wat een foute redenatie zou zijn is om uit 'Als A dan B' en gegeven de bewering 'B' tot 'A' te komen. Wat wel kan is om uit 'Als A dan B' in combinatie met de ontkenning van 'B' te komen tot de ontkenning van 'A'. Ehm... ik zal nu iets minder abstract worden. Uit '*Als* de docent rechtse literatuur gebruikt, *dan* beïnvloedt hij zijn leerlingen' en gegeven de bewering 'De docent gebruikt rechtse literatuur' kan zeker worden gekomen tot de bewering 'De docent beïnvloedt zijn leerlingen'. De logische fout in jouw redenatie, Gerda, is dat jij vanuit de bewering '*Als* de docent rechtse literatuur gebruikt, *dan* beïnvloedt hij zijn leerlingen' in combinatie met de bewering 'De docent beïnvloedt zijn leerlingen' komt tot de ongeldige conclusie 'De docent gebruikt rechtse literatuur'. Dit is een logische fout die veel door mensen wordt gemaakt. Het is een vorm van ongeldig redeneren die gesprekken, betogen, teksten en dergelijke enorm vertroebelt. Ik zal het op papier nog eens op een hele formele wijze weergeven.'

De filosofisch consulent laat in symbolische logica zien waarom de gedachtegang van Gerda in logisch opzicht niet deugt. Hij reageert dus niet op de inhoud van wat Gerda zegt, maar puur op de wijze waarop ze redeneert.[18] De deelnemers aan de wandeling krijgen zo wat filosofische en logische kennis gepresenteerd waar een ieder z'n voordeel mee kan doen in de toekomst. Het gezelschap hervat, na even de benen gestrekt te hebben, de wandeling. Gerda neemt weer het woord.

Gerda: 'Leuk is het niet om zo bekritiseerd te worden, maar hier leer ik wel heel veel van.'

Henk: 'Nou, daar ben ik heel erg blij om … het is precies een van de redenen waarom ik het beroep van docent zo akelig begin te vinden… allemaal van die ouders die menen het zo goed te weten… maar ondertussen...'

De frustratie van Henk ten aanzien van zijn werk komt aan het licht. De toon waarop Henk zijn uitlatingen doet maakt duidelijk dat zijn emoties nogal hoog zitten. De filosofisch consulent besluit deze emotionele ontlading te laten voor wat het is en Marie in het gesprek te betrekken.

FC: 'Marie, wat was jouw reactie op de bewering van Gerda dat haar dochter op school wordt beïnvloed door het gepresenteerde lesmateriaal, waardoor het onderwijs niet neutraal wordt gegeven?'

Marie: 'Ik vind dit soort situaties altijd lastig. Enerzijds luister ik naar Gerda met de oren van een moeder. Eh, eh, … jullie moeten weten dat ik zelf ook kinderen heb.'

Marie begint een heel verhaal over de kinderen met allerhande achtergrondinformatie. De filosofisch consulent kapt deze uitweidingen op gepaste wijze af. Biografische gegevens zijn tijdens het consult doorgaans weinig interessant voor de puzzel(s) die op tafel lig(t)(gen). Marie laten praten kost onnodig veel tijd en dus ook onnodig veel geld.

FC: 'Marie, hoe interessant het ook is wat je vertelt, ik ga je onderbreken... je zei dat je, met betrekking tot de uiteenzetting van Gerda, enerzijds luistert met de oren van een moeder. Hoe luister je anderzijds?'

Marie: 'Ja, ... anderzijds luister ik ook met de oren van een professioneel politicus. Onderwijs zit tenslotte in mijn portefeuille. Het is een groot goed dat we in Nederland de mogelijkheid hebben om onderwijs op te zetten met een religieuze en/of politieke invalshoek of juist voor een openbare vorm te kiezen. Uiteraard slaagt of valt het tot uitdrukking brengen van deze grondslag mede door het onderwijsmateriaal dat wordt gebruikt. Een andere belangrijke component is natuurlijk hoe er door een docent met materiaal wordt omgegaan. Ik ben het wel met Henk eens dat ook al wordt er op een school materiaal gebruikt dat inhoudelijk haaks staat op de grondslagen van die school, het afhankelijk van de docent is hoe de lesstof bij de leerlingen aankomt. Het lijkt me echter een verkeerde zaak als het onderwijsmateriaal dat op scholen wordt gebruikt volledig vrij wordt gelaten. Het gevaar van verkapte propaganda ligt toch op de loer... maar ik geef toe, ik heb collega's die daar heel anders over denken...en dat leidt nog weleens tot onenigheid... maar vaak gaat het ook impliciet over geld...' (Marie raakt aan het slot van haar inbreng in haar eigen gedachten verstrikt en begint te mompelen.)

Henk: 'Misschien hebben die collega's wel gewoon meer vertrouwen in de bekwaamheid van docenten op scholen... en vergeet niet... als je door middel van wetgeving restricties oplegt aan het gebruik van bepaald onderwijsmateriaal, dan liggen daar ook waarden in besloten. (Henk slaat zijn moppertoon weer aan.) Als docent zit je altijd tussen twee vuren...die eindeloze bemoeizucht vanuit Den Haag en ... die veeleisende ouders met hun grote muil... overal willen ze inspraak.'

Henk loopt tijdens de wandeling tussen Marie en Gerda in en zoekt de gelegenheid om zijn gal te spuien richting de dames als representanten van respectievelijk het politieke bolwerk in Den Haag en het controleapparaat dat wordt gevormd door de ouders van zijn leerlingen. De filosofisch consulent heeft de opstelling van de deelnemers niet bewust zo georganiseerd en blijft zich uitsluitend richten op de intellectuele kant van het groepsgesprek, dat wil zeggen op de leefwerelden van de deelnemers in wereld 3.

FC: 'Is het een idee om onze oorspronkelijke puzzel te splitsen in twee puzzels? We hebben immers te maken met waarden die worden meegegeven via landelijke wetgeving en we hebben te maken met waarden die worden meegegeven op het niveau van de scholen zelf door onder andere docenten en ouders. Wat vinden jullie hiervan?'

Henk, Marie en Gerda zien in dat voor het op nauwkeurige wijze voeren van de discussie het van belang is om de twee politieke organisatieniveaus uit elkaar te halen. Na wat heen en weer gepraat komen de volgende twee puzzels op tafel te liggen:

1. Is waardevrij onderwijs mogelijk en als waardevrij onderwijs mogelijk is, moet daar dan via nationale wetgeving controle op zijn?

2. Is waardevrij onderwijs mogelijk en als waardevrij onderwijs mogelijk is, moet daar dan via locale regelgeving op scholen controle op zijn?

Wanneer iedereen heeft ingestemd om met de puzzels die nu op tafel liggen aan de slag te gaan, wordt er eerst gekeken naar de rol van het woordje 'moet' in de twee puzzels. De vraag die wordt opgeworpen door Marie is met wat voor soort 'moeten' we hier van doen hebben: 'Gaat het hier uitsluitend om een juridisch 'moeten'?' Gerda maakt verderop in het gesprek duidelijk dat wat haar betreft de discussie wel erg langzaam verloopt. De filosofisch consulent legt uit dat filosoferen soms lijkt op een wedstrijd langzaam fietsen en veel geduld van de deelnemers aan het gesprek vraagt. Dit neemt niet weg dat hij het ongenoegen van Gerda over de discussie serieus neemt en het verloop van de discussie probeert aan te passen. Ook Gerda moet vinden dat er goed wordt gewerkt.

De consulent kan de discussie een andere wending geven door puzzels in te brengen die in het verlengde van de oorspronkelijke puzzels liggen. Kennispuzzels als 'Hoe kunnen we bepalen dat onderwijs (niet-)waardevrij is?' en 'Hoe kunnen we bepalen dat wet- en regelgeving wordt nageleefd?' zijn geschikte kandidaten. Een voorbeeld van een praktische puzzel die kan worden aangedragen is 'Hoe organiseren we wet- en regelgeving zodanig dat er een bepaald soort onderwijs ontstaat?'. En geschikte voorbeelden van waarderingspuzzels zijn 'Wat is er zo goed aan waardevrij onderwijs?' en 'Wat is er zo goed aan onderwijs dat normatief geladen is?'. Ook hier zijn weer allerhande verfijningen mogelijk door na te denken over *de mate* waarin zaken *goed* of *geoorloofd* zijn. En wat zou er gebeuren als de filosofisch consulent de vraag opwierp of praktische puzzels van bijvoorbeeld didactische aard überhaupt opgelost kunnen worden zonder aandacht te besteden aan waarderingspuzzels.

Een wandeling biedt, zo is vaker betoogd, de gelegenheid aan de filosofisch consulent om het landschap waarin men vertoeft als metafoor in te zetten. 'Vergezichten', 'splitsing van wegen', 'ruimte nemen', 'verdwalen', 'de weg kwijtraken' et cetera zijn concepten die zich uitstekend lenen om een brug te slaan tussen ons denken (wereld 3) en het landschap (wereld 1) waarin men loopt. Ook een leefwereld in wereld 3 kan worden gezien als een uitgestrekt landschap, maar dan als een landschap van ideeën, argumenten, opvattingen et cetera. Een filosofisch consulent kan diverse 'landelijke' metaforen inzetten om ideeën en argumenten, die tijdens een consult de revue passeren, te verhelderen en/of uit te diepen. Begrippen als 'aftakkingen', 'hoofdwegen', 'zijwegen' en 'paden', al dan niet open of juist gesloten, kunnen als een handig begrippenkader worden gebruikt.

Wanneer de deelnemers aan een filosofische wandeling zich in een bos bevinden, dan kunnen wezens als 'bosnimfen', 'boskabouters' en andere mythische figuren als opstap fungeren om metafysische vragen op te werpen of bestaande gedachtesporen van een nieuwe wending te voorzien. Ook hier is al vaker op gewezen. In de filosofische literatuur zijn genoeg figuren, fenomenen, wezens en dieren terug te vinden die kunnen worden gebruikt om discussies te starten of andere voort te zetten. De 'verschrikkelijke sneeuwman' is een mooi voorbeeld uit de wetenschapsfilosofische literatuur die 's winters tijdens een wandeling door de sneeuw kan worden opgevoerd. Uiteraard behoren dergelijke 'gereedschappen' en 'trucs' op gepaste wijze en in de juiste dosering te worden ingezet. Het inlassen van dergelijke 'uitstapjes' moet wel op een organische manier plaatsvinden en geen gekunstelde gesprekken tot gevolg hebben. Het is de communicatieve en intellectuele vaardigheid van de filosofisch consulent die bepaalt hoe soepel dergelijke manoeuvres kunnen worden uitgehaald.

We zijn bij het eind van het eerste deel van dit boek aangekomen. In het voorwoord is aangegeven dat de titel van dit boek aanleiding geeft om de rol die tijd speelt op minimaal drie verschillende manieren te beschouwen. Door de casuïstiek in de hoofdstukken I, III en IV is duidelijk geworden dat iedereen die puzzels op te lossen heeft terechtkan bij de filosofisch consulent. De vraag naar het moment waarop je naar een filosofisch consulent toegaat, de eerste rol die tijd speelt, is hiermee voldoende aan de orde geweest.

De casusbesprekingen zouden nog verder kunnen worden uitgesponnen door bijvoorbeeld nog meer differentiaties en relaties aan te brengen tussen kennis-, waarderings- en praktische puzzels. Ook leent de casus in hoofdstuk III zich er goed voor de driewereldentheorie zelf in te zetten om opvattingen over de ontwikkeling van foetus tot volwassen mens, zijn leven en dood, verder in kaart te brengen. Er is bewust voor gekozen dit niet te doen. Het doel van de casusbesprekingen is zo beeldend en toegankelijk mogelijk te tonen hoe een consult volgens de Aristonide methodiek concreet in zijn werk gaat. Een minutieuze uitwerking van alle denkbare puzzels en afslagen die genomen kunnen worden, vormt vermoedelijk eerder een belemmering om tot een helder beeld te komen dan een zinvolle bijdrage. Het is natuurlijk aan u als lezer om te bepalen in hoeverre het gestelde doel is bereikt.

Eigenschappen die karakteristiek zijn voor het filosofisch consult (tijdens een filosofische retraite):

- Het gesprek vindt plaats op basis van gelijkwaardigheid, respect en vertrouwen. De 'ander' mag anders zijn.
- Het is de intellectuele leefwereld van de bezoeker van de praktijk die centraal staat tijdens het gesprek. De filosofisch consulent biedt een ruimte waarin denkwerk kan worden verzet.
- Alle thema's, onderwerpen, theorieën, beweringen et cetera zijn welkom, mits deze zich laten lenen voor intellectuele bespiegelingen. Problemen vormen een opstap voor de formulering van puzzels waarmee daadwerkelijk aan de slag kan worden gegaan.
- Het intellectuele raamwerk waarbinnen het gesprek plaatsvindt, is die van de filosofie en haar traditie.
- De filosofisch consulent heeft als werkterrein de leefwereld van de bezoeker binnen Poppers wereld 3. De expertise van de filosofisch consulent bevindt zich eveneens binnen wereld 3 en wordt blijvend onderhouden.
- De filosofisch consulent is naast voor het filosofische gehalte ook verantwoordelijk voor het communicatieve spoor tijdens het consult.
- De filosofisch consulent kan ingezet worden als sparringpartner of brengt nieuwe ideeën in vanuit de filosofische en/of wetenschappelijke traditie. Deze ideeën kunnen worden doordacht en op hun merites worden beoordeeld. Logische denkfouten worden door de consulent aan het licht gebracht.
- Een filosofisch consult kan worden aangewend voor een waardeoriëntatie. Bestaande waarden (en normen) kunnen worden geijkt, bijgesteld of aangevuld.
- In een filosofisch consult wordt niet behandeld, genezen of geadviseerd. De filosofische praktijk is geen therapeutische praktijk. Ook worden er geen diagnoses gesteld.

Deel 2

HOOFDSTUK V

Tijd voor ontspanning

Het komende hoofdstuk gaat over de tweede en derde rol die tijd speelt zoals die beschreven is in het voorwoord van dit boek. Even ter herinnering, bij de tweede rol komen ontspannende en rustgevende activiteiten tijdens een filosofische retraite aan de orde. Het gaat over tijd die wordt 'verlummeld'. Bij de derde rol gaat het over de specifieke tijd die verstrijkt wanneer puur intellectuele exercities worden uitgevoerd.

Een retraite is een periode van bezinning en kan verschillende invullingen krijgen. Er bestaan verschillende soorten retraites. Sommige retraites leggen een sterke nadruk op meditaties. Andere vormen van retraites worden gehouden voor speciale doelgroepen zoals professionals en managers. Gemeenschappelijk aan al deze verschillende vormen is dat men uit vrije wil kiest om zich gedurende een bepaalde periode af te zonderen en geen deel uit te maken van het gangbare leven. Men verblijft tijdelijk letterlijk op een andere plaats.

Een filosofische retraite heeft dezelfde uiterlijke verschijningsvorm als andere soorten retraites. Kenmerkend voor een filosofische retraite is dat denkprocessen en een intellectuele heroriëntatie centraal staan. De dialoog met de filosofisch consulent (en anderen die in retraite zijn) draagt bij aan het zoeken naar een nieuwe verblijfplaats in het intellectuele landschap. Echter, in een filosofische retraite wordt meer gedaan dan alleen gepraat.

De periodes waarin activiteiten worden ondernomen zoals borrelen, fietsen, spelletjes doen en sporten, dragen bij aan de voortgang van het denkproces dat centraal staat in een filosofische retraite. Ontspanning en het verzetten van de zinnen blijken in de praktijk buitengewoon waardevol. Vanuit de filosofie zelf kan de bewering dat leuke en afleidende dingen doen nodig is om intellectuele vooruitgang te kunnen boeken worden onderbouwd. In dit hoofdstuk wordt een start gemaakt met deze onderbouwing. Een nauwkeurige analyse van de rol die tijd speelt bij het deelnemen aan een filosofische retraite laat de aard van een filosofische retraite tot zijn recht komen.

De grote hoeveelheid filosofische literatuur over het fenomeen tijd laat zien dat er al veel nagedacht en geschreven is over dit onderwerp. Echter, de driewereldentheorie, de theorie die als kader is gekozen om onder andere het werkterrein van de filosofisch consulent af te bakenen, biedt een geheel eigen invalshoek om het fenomeen tijd en haar rol in de filosofische gespreksvoering opnieuw te beschouwen.

Verschillende soorten tijd

We laten Betty uit hoofdstuk I weer even aan het woord:

B: 'Het zou leuk zijn als mijn kind straks met z'n opa naar een pretpark zou kunnen gaan zonder dat ik me zorgen hoef te maken. Ja, ... weet je, ... dat wordt een onmogelijke opgave.'

FC: 'Dat lijkt je nu een onmogelijke opgave?'

B: 'Zoals ik er nu naar kijk zit dat er niet in.'

FC: 'Dat begrijp ik. Ehm, ... maar wellicht verandert dit wanneer we met de puzzels die op tafel liggen aan de slag zijn geweest...'

De filosofisch consulent onderzoekt of Betty's uitlating is gebonden aan tijd, aan dit moment. Wanneer dat inderdaad zo blijkt te zijn, kan er na interventie ruimte ontstaan voor de eventuele ontwikkeling van nieuwe gedachten in en over de toekomst. De consulent beoogt verder met zijn opmerkingen Betty in beweging te brengen en tot puzzelen aan te zetten. Wat onduidelijk is in dit kleine fragment is of de zorg die Betty op dit moment heeft door haar wordt gevoeld of berust op een argumentatie. Betty geeft 'slechts' haar perspectief aan. Het is in deze korte dialoog even- eens onduidelijk of een eventuele verandering in haar opstelling een gevoelde of een beargumenteerde verandering of een combi- natie van die twee gaat worden.

Wat wel duidelijk naar voren komt is dat een 'tijdloze' bewering een andere behandeling vraagt dan een bewering die een moment in de tijd markeert. Voor een dergelijk onderscheid moet aandacht zijn in een consult. Het vergroten van de leefbaarheid van een leef- wereld lijkt direct samen te hangen met het moment waarop een intellectuele interventie plaatsvindt. Genoeg redenen dus om lan- ger bij het fenomeen 'tijd' stil te staan. Laten we dat doen door al- vast een bezoekje aan het pretpark te brengen en wat plezier te maken.

Stelt u zich eens het volgende voor. U bevindt zich in een acht- baan en beweegt zich met duizelingwekkende snelheid over de rails van de achtbaan. De volledige rit duurt drie minuten. Door alle sensaties die u ondergaat en alle stoffen die in uw lichaam vrij- komen, heeft u de indruk dat de rit slechts een halve minuut heeft geduurd. Wanneer u weer op de grond staat en van de schrik bent bekomen, vertelt u uw vrienden hoe u de rit in de achtbaan heeft beleefd en dat het voor uw gevoel allemaal zo ongelofelijk snel ging.

Het bezoek aan het pretpark maakt duidelijk dat er een onder- scheid kan worden gemaakt tussen drie soorten tijd. De eerste tijd is de tijd dic is gemeten met behulp van bijvoorbeeld een horloge en laat zien dat de volledige rit drie minuten in beslag heeft geno- men. De tweede tijd is de tijd zoals u die, als gebruiker van de acht- baan, heeft beleefd. Deze kan door de ongebruikelijke aard van de ervaringen aardig afwijken van de eerste tijd, de zogenoemde 'kloktijd'. Vervelende gebeurtenissen duren in de *beleving* van mensen doorgaans langer dan de kloktijd aangeeft. Leuke gebeur- tenissen daarentegen duren in de *beleving* van mensen meestal korter. Voor beide groepen gebeurtenissen geldt dat de band tussen de 'kloktijd' en de 'beleefde tijd' is verzwakt. Goed, we gaan weer terug naar het filosofisch consult.

Het parallel lopen van de beleefde tijd van de consulent en de beleefde tijd van zijn gesprekspartner is een indicatie voor het feit dat de consulent tot een invoelend verstaan is gekomen en empathisch opereert. Het hebben van een empathische houding tijdens een consult is een belangrijke voorwaarde voor de consulent om gesprekstechnieken en gespreksvaardigheden in te kunnen zetten.[19] Het in dezelfde snelheid verstrijken van de beleefde tijd geeft aan dat de twee gesprekspartners daadwerkelijk gezamenlijk aan het werk zijn en in contact met elkaar staan. Ze dringen door tot elkaars belevingssfeer. Een bevestiging dat er goed wordt gecommuniceerd kan tot uitdrukking komen wanneer ze op een gegeven moment op de klok aan de muur kijken en beiden vinden dat het consult van drie kwartier zo vlot is verlopen. Als een van beiden had zitten dromen was een dergelijke gemeenschappelijke reactie waarschijnlijk uitgebleven.

Toch nog even terug naar het voorbeeld van de achtbaan. Wanneer u verslag doet van uw belevenissen in de achtbaan gebruikt u concepten, getallen, beweringen et cetera. Concepten als 'sensatie', 'wind', 'snelheid', 'beweging', 'boven', 'beneden' en dergelijke geven uw verhaal gestalte. De concepten, getallen en beweringen zijn allemaal opgenomen in een zogenoemde 'geconceptualiseerde tijd' die de derde soort tijd vormt.[20] De eerste twee soorten tijd, de kloktijd en de beleefde tijd, zijn reeds bekend in de filosofie en worden door de Franse filosoof Henri Bergson (1859-1941) respectievelijk aangeduid met 'le temps' en 'la durée'.[21] De term 'geconceptualiseerde tijd' is nieuw en vraagt daarom om een toelichting. Dit betekent ons verdiepen in een lastig stukje theoretische filosofie. De waarde van de 'geconceptualiseerde tijd' voor het filosofisch consult zal daarna gaandeweg zichtbaar worden.

We starten onze studie naar de 'geconceptualiseerde tijd' met de constatering dat leefwerelden van individuen en groepen mensen binnen wereld 3 'slechts' deelverzamelingen zijn van wereld 3 en dat ze deze wereld niet volledig behelzen. De leefwerelden binnen wereld 3 zijn niet statisch van aard, maar kunnen door nieuwe inzichten en het opdoen van nieuwe kennis qua omvang en inhoud veranderen. Er is sprake van de aanwezigheid van bewegingen en *mogelijke* bewegingen binnen wereld 3. Hoewel de manifestatie van mogelijke bewegingen het verstrijken van tijd veronderstelt, hoeft dat tijdsverloop niet samen te vallen met het verloop van de fysische kloktijd of de beleefde tijd. Wanneer we een theorie T in leefwereld L aannemen en deze theorie T uitbreiden met een bewering p tot T' (in leefwereld L'), dan doemen er nieuwe ontwikkelingsmogelijkheden op. Door een beweging binnen wereld 3, namelijk de inzet van bewering p, ontstaat er zicht op nieuwe mogelijke bewegingen. De uitbreiding van dezelfde theorie T in leefwereld L met een bewering q ($\neq$p) tot T'' (in leefwereld L'') levert nog weer andere ontwikkelingsmogelijkheden op. Wereld 3 en de leefwerelden binnen wereld 3 hebben niet alleen een geschiedenis, maar ook zelfstandige toekomstmogelijkheden en worden dus gekenmerkt door een specifiek tijdsverloop, de 'geconceptualiseerde tijd'.

Zoals aangegeven houdt de 'geconceptualiseerde tijd', behorend bij wereld 3, een tijdsverloop in dat is gebaseerd op *mogelijke* ontwikkelingsvolgorden van abstracte entiteiten en niet alleen op de historisch gerealiseerde volgorden. Concepten, theorieën en andere abstracte entiteiten ontlenen hun potentiële bestaan aan deze mogelijke ontwikkelingsvolgorden en zijn dus ingebed in een zelfstandige tijd, de zogenoemde 'geconceptualiseerde tijd'. Bepaalde concepten of theorieën zijn pas mogelijk *nadat* andere concepten of theorieën al zijn gerealiseerd. De 'geconceptualiseerde tijd' wordt gekenmerkt door een zeer specifiek soort 'eerder' en een zeer specifiek soort 'later'.

Om weer even iets concreter te worden. Het verslag van de rit in de achtbaan dat u uitbrengt aan uw vrienden bevat allerlei concepten en theoretische constructen. Uw verslag kan, afhankelijk van de vernuftigheid en gedetailleerdheid waarmee u dit verslag inhoud geeft, bijdragen aan de historische realisatie van mogelijke ontwikkelingsvolgorden van concepten en/of theorieën. Wellicht blijft de toelichting tot dusver nog te abstract en maakt het volgende voorbeeld de aard van de 'geconceptualiseerde tijd' iets inzichtelijker.

In de casus uit hoofdstuk III is het werk van Peter Singer gebruikt tijdens een consult. Deze Australische filosoof staat met zijn ethische opvattingen in de traditie van het zogenoemde 'utilitarisme' of 'utilisme'. Laten we eens aannemen dat de gynaecoloog uit hoofdstuk III bekend is met het concept 'utilitarisme' zoals dit is ontwikkeld door de filosoof Jeremy Bentham (1748-1832). De arts weet dat dit concept staat voor de opvatting dat de juistheid van het menselijk handelen afhangt van de mate waarin deze handelingen bijdragen aan de totstandkoming van het grootste geluk voor het grootst mogelijk aantal mensen. Laten we ook aannemen dat tijdens een consult het concept 'utilitarisme' door de filosofisch consulent wordt gedifferentieerd in 'akt-utilitarisme' en 'regel-utilitarisme' omdat het verloop van het gesprek daarom vraagt. Een korte uitweiding bij deze tweede aanname is op zijn plaats.

Het 'akt-utilitarisme' staat voor de opvatting dat de morele (on)juistheid van een handeling moet worden beoordeeld op basis van de gevolgen van die handeling. Het zijn individuele handelingen die hier in het geding zijn en niet de handelingen van een collectief (Willemsen 1992, 11). De term 'regel-utilitarisme' staat voor de opvatting dat de morele (on)juistheid van een handeling moet worden beoordeeld op basis van een regel. Deze regel wordt weer beoordeeld in het perspectief van de (on)wenselijkheid van de gevolgen die het naleven van deze regel met zich meebrengt (Willemsen 1992, 370). Uiteindelijk gaat het bij de beoordeling van een regel om het nut dat die regel al dan niet heeft.

De intellectuele leefwereld van de arts (in wereld 3) wordt door de nuancering van het concept 'utilitarisme' veranderd. Nieuwe *mogelijke ontwikkelingsvolgorden* van concepten en theorieën binnen de leefwereld van de arts dienen zich aan. Deze verandering *kan* gevolgen hebben voor de leefwerelden binnen wereld 2 en wereld 1. Wat nu telt is de constatering dat de verandering zelf gepaard gaat met een autonoom tijdsverloop, een verloop van de 'geconceptualiseerde tijd'.

Evenals de tijd in wereld 1 lijkt de tijd in wereld 3 eerder een lokaal dan een globaal karakter te hebben. In de intellectuele leefwereld van de arts mag de tijd door het consult misschien zijn verstreken, dit betekent niet dat dit ook automatisch geldt voor andere streken in wereld 3. De geconceptualiseerde tijd kan in andere leefwerelden en gebieden volledig stil blijven staan. Het vermoeden mag dan ook worden geuit dat er in wereld 3, evenals in wereld 1 en wereld 2, geen 'absolute tijd' bestaat.[22]

Samenvattend, kunnen we drie verschillende tijden onderscheiden, te weten de fysische 'kloktijd' (wereld 1), de 'beleefde tijd' (wereld 2) en de 'geconceptualiseerde tijd' (wereld 3).[23] Zowel de filosofisch consulent als zijn gesprekspartner leven in alle drie de tijden zonder dat die tijden parallel hoeven te lopen.

Het werkterrein van de filosofisch consulent kan nu, in aanvulling op hoofdstuk II, vanuit een andere invalshoek worden bekeken. We wisten al dat het werkterrein tijdens een consult de leefwereld (wereld 3) van de bezoeker van de praktijk is. Het is nu ook duidelijk dat het 'tijdweefsel' waarin door de filosofisch consulent wordt geopereerd de 'geconceptualiseerde tijd' betreft. Wanneer een bezoeker van de praktijk bijvoorbeeld een nieuw idee door de filosofisch consulent krijgt aangereikt, verandert zijn/haar leefwereld en verstrijkt de 'geconceptualiseerde tijd' waarin dit idee is ingebed. Door de nieuwe kennis aan de kant van de bezoeker ontstaan er nieuwe intellectuele sporen die kunnen worden gevolgd. Andere sporen worden wellicht onbegaanbaar. Geheel uiteenlopende intellectuele interventies door de filosofisch consulent kunnen de 'geconceptualiseerde tijd' binnen een leefwereld (wereld 3) doen verstrijken. Het is het verloop van de beleefde tijd dat aangeeft hoe empathisch de consulent te werk gaat en het is het verloop van de kloktijd dat bepaalt wat de kosten van een consult of retraite zullen zijn.

Het is nu niet alleen duidelijk *waar* er tijdens een filosofisch consult wordt gewerkt maar ook *wanneer* er denkwerk wordt verzet en wat het verband is tussen deze plaats en tijd. We blijven nog even op het hoog theoretische abstractieniveau en gaan in op de relatie tussen het fenomeen 'tijd' en al dan niet opgeloste kennis-, waarderings- en praktische puzzels. Hoe verhouden deze puzzels, die het kenmerkende denkgereedschap van de Aristonide methodiek vormen, zich tot 'vroeger', 'heden' en 'toekomst'?

De factor tijd heeft direct invloed op de status van ons kennisbestand. De status van puzzels en beweringen ofwel opgeloste puzzels kan veranderen onder invloed van nieuwe inzichten en nieuwe kennis. Om een concreet voorbeeld te geven. De kennispuzzel 'Is waardevrij onderwijs mogelijk?' kan na een analyse van het concept 'onderwijs' overgaan in de overtuiging 'De term *waardevrij onderwijs* is een contradictio in terminis'. Sommige op te lossen puzzels of reeds opgeloste puzzels zullen gevoeliger zijn voor de tijdsdimensie dan andere. Opgeloste puzzels van logische aard bijvoorbeeld zullen minder snel van status veranderen dan bijvoorbeeld (on)opgeloste puzzels van ethische aard. Ethische vraagstukken houden namelijk direct verband met de tijdgeest en het kennisbestand van dat moment. Verworven kennis op logisch en wiskundig terrein lijkt boven tijd en ruimte verheven te zijn.

Puzzels en beweringen verraden zelf, door de wijze waarop ze zijn geformuleerd, de aanwezigheid en invloed van tijd. Om opnieuw een concreet voorbeeld te geven: het gecursiveerde deel in de waarderingspuzzel 'Is het te prijzen dat Nederlanders naar waardevrij onderwijs *verlangen?*' verwijst naar het heden. De puzzel heeft betrekking op een actuele emotionele gesteldheid in wereld 2. Het *verlangen* wordt nu beleefd. Voortschrijdend inzicht tijdens een consult kan bijvoorbeeld leiden tot de noodzaak om deze puzzel te herformuleren tot 'Is het te prijzen dat Nederlanders naar waardevrij onderwijs *verlangden?*'. De herformulering van de puzzel in combinatie met de oorspronkelijke formulering verraadt het verstrijken van de tijd in wereld 2.

Op een zelfde manier kan door het optreden van conceptuele veranderingen en nieuwe inzichten het tijdsverloop in wereld 3 worden blootgelegd. Neem bijvoorbeeld de volgende puzzel die in een utilitaristische context wordt doordacht:

1. 'Is waardevrij onderwijs te prijzen?'

De differentiatie van het concept 'utilitarisme' in 'akt-utilitarisme' en 'regel-utilitarisme' tijdens een consult levert *later* (wereld 3) wellicht nieuwe herformuleringen van deze puzzel op. De volgende twee voorbeelden van herformuleringen lenen zich goed voor respectievelijk een doordenking in de context van het 'akt-utilitarisme' en een doordenking in de context van het 'regel-utilitarisme'.

2. 'Is het te prijzen dat een docent waardevrij onderwijs verzorgt?'
3. 'Is het te prijzen dat waardevrij onderwijs wettelijk wordt verankerd?'

Het behoort tot de taak van de filosofisch consulent oog te hebben voor de tijdsdimensie in het gesprek. Beweringen en formuleringen van puzzels verwijzen naar momenten in de tijd. De verwijzingen naar momenten in de tijd vormen het cement in intellectuele bouwwerken. Ze vormen een ordenend principe en houden de bouwstoffen bij elkaar. Voor het filosofisch consult kunnen ze dienen als aangrijpingspunten waarmee de kwaliteit van het denken kan worden bevorderd.

Een actuele puzzel die betrekking heeft op een gebeurtenis in het verleden is een fundamenteel andere puzzel dan bijvoorbeeld een puzzel uit het verleden die betrekking heeft op een gebeurtenis in de toekomst. De puzzel 'Hoe *is* te begrijpen dat...?' is een andere puzzel dan 'Hoe *was* te begrijpen dat...?'. Begrip, verklaringen en mechanismen kunnen door de tijd heen veranderen. De oplossing voor een praktische puzzel als 'Hoe *kwam* je van A naar B?' kan door een verandering in de werkelijkheid helemaal niet meer relevant zijn voor de toekomst.

Denkwerk is er niet alleen bij gebaat dat er wordt gewerkt met denkgereedschappen als kennis-, waarderings- en praktische puzzels, maar deze moeten ook op het juiste *moment* worden ingezet en in de juiste *volgorde* worden geplaatst. Een oriëntatie op het verleden is een totaal andere dan een oriëntatie op het heden of op de toekomst. De *snelheid* van denken in wereld 3 in relatie tot de *snelheid* van de beleefde tijd en in relatie tot de *snelheid* van de fysieke tijd kon weleens een criterium zijn om van '(on)leefbaar' denken te kunnen spreken.[24] De vraag naar de algehele kwaliteit van ons leven houdt misschien direct verband met de drie verschillende snelheden waarmee we ons leven leven. Wellicht geldt in termen van snelheden dat hoe beter de ecologie van de leefwerelden (binnen wereld 1, 2 en 3), hoe leefbaarder het leven is.

Tijd voor niet-bewust denken

We hernemen de casus uit hoofdstuk III. De gynaecoloog die tijdens een filosofische retraite flink aan het nadenken is geweest over de ethische aspecten van zijn werk en de rol die hij in het ziekenhuis vervult, treffen we nu aan op een bankje in het bos. Hij geniet van een kopje koffie dat hij net uit zijn thermoskan heeft ingeschonken terwijl hij naar de vele geluiden luistert die hem omringen. Opeens komt er een gedachte in hem op.

Arts: '... De mens moet wel de kroon op Gods schepping zijn. Als ik nu om me heen kijk dan kan het niet anders of dit alles moet bedacht zijn door een heel slimme instantie. De vogeltjes vinden in dit bos precies het voedsel dat ze nodig hebben. De bomen en planten kunnen exact die stoffen aan de bodem onttrekken waardoor ze kunnen groeien en bloeien. Het grijpt allemaal op een perfecte manier in elkaar. De dieren, planten, bomen, grondstoffen et cetera vormen niet een verzameling van dingen die toevallig bij elkaar terecht zijn gekomen. Er gaat een zeker plan achter schuil, dat is duidelijk. Dat hele plan lijkt speciaal voor ons mensen ontwikkeld... Ik wil bij het volgende consult hier nog eens goed op doorgaan... volgens mij heb ik hier een mooi argument voor toekomstige discussies in handen...'

De gedachte die bij de arts rijst is regelrecht afkomstig uit het programma dat de naam 'Intelligent design' draagt. Voor de voortgang van zijn denkproces is het niet van belang of hij deze teleologische argumentatie ter plekke zelf 'ontwikkelt' of dat hier een herinnering van een eerder gelezen tekst in het spel is. Wat er op dit moment toe doet is de constatering dat het uitvoeren van een ontspannende activiteit, namelijk het in alle rust genieten van een kopje koffie, leidt tot het plotseling opdoemen van een vruchtbare gedachte, een gedachte waarvoor de basis tijdens een eerdere denksessie is gelegd.

Het fenomeen waarbij je ineens een oplossing ziet voor een probleem of zomaar een fraaie ingeving krijgt terwijl je alledaagse handelingen verricht, zoals het doen van boodschappen of het schoonmaken van je huis, is bij de meeste mensen bekend. Hier is in feite niets bijzonders aan. Ook grote ontdekkingen in de wetenschap of het ontstaan van invloedrijke kunstwerken vinden vaak plaats in heel banale situaties. (Men kan hier spreken van echte 'Eureka-momenten'.) Dat neemt niet weg dat aan het zomaar opdoemen van deze mooie culturele dingen bewuste en diepgaande denkprocessen vooraf zijn gegaan.

Een filosofische retraite bestaat zowel uit filosofische exercities, intensieve denkprocessen, als uit momenten van ontspanning door bijvoorbeeld te wandelen, te fietsen, een drankje te nuttigen of ontspannende lectuur te lezen. Serieuze aandacht voor het hebben van 'vrije tijd' is bepaald niet nieuw in de filosofie. Aristoteles heeft al gewezen op het belang en de waarde van tijd die niet wordt besteed aan arbeid maar wordt gebruikt voor vermaak: 'Vermaak is immers een soort ontspanning, en een mens heeft ontspanning nodig, omdat hij niet ononderbroken kan werken. Ontspanning is dus geen doel: ze is er omwille van de activiteit.'[25]

Om zicht te krijgen op de functie die tijd tussen het denkwerk door heeft, wordt er nu een appel gedaan op het werk van Marc Slors. In zijn boek *Dat had je gedacht! Brein, bewustzijn en vrije wil in filosofisch perspectief* (2012) wordt duidelijk hoe het 'Nieuwe Onbewuste', onder andere ontleend aan het werk van de psycholoog Ap Dijksterhuis[26], een rol speelt bij onze handelingen en de voortgang van denkprocessen.[27]

Uit onderzoek van psychologen en neurowetenschappers blijkt dat heel veel handelingen die we verrichten voortkomen uit ons onbewuste.[28] Er is een geheel nieuwe stroming onder deze wetenschappers in opmars die met veel empirisch bewijsmateriaal aantoont dat onze handelingen niet voortkomen uit bewuste intenties, zoals zo vaak wordt gedacht. Een gangbare definitie van het 'onbewuste' binnen deze stroming is:

'Het moderne onbewuste bestaat uit alle psychologische processen waarvan we ons niet bewust zijn, maar die ons gedrag (of ons denken, of onze emoties) wel beïnvloeden.' [29]

Slors maakt bij de totstandkoming van zijn theorie, waarbij hij ingaat op de relaties tussen het onbewuste 'ik', bewuste gedachten, zelfinterpretatie en de handelingen die we verrichten, gebruik van de nieuwe inzichten uit de psychologie en de neurowetenschap. Met deze ingrediënten laat hij zien hoe onze dagelijkse intuïtie ten aanzien van de rol van (reflectief) bewustzijn in overeenstemming te brengen is met de bevindingen van de Amerikaanse neurofysioloog Benjamin Libet, die experimenteel heeft aangetoond dat ons 'onbewuste' onze bewuste beslissingen voor is. (Het experiment van Libet uit 1983 laat zien dat de start van neurale activiteit voor een handeling, gemeten via een EEG, eerder plaatsvindt dan het ontstaan van de bewuste beslissing of intentie.) Slors beoefent een vorm van filosofie waarbij hij zich door empirisch wetenschappelijk onderzoek laat informeren.

De volledige uiteenzetting die Slors geeft om het nieuwe beeld van onszelf in kaart te brengen wordt hier niet nog eens herhaald. Ook de bijbehorende argumentatie zal niet worden opgevoerd en besproken. Hiervoor kunt u het bijzonder goed leesbare boek van hemzelf raadplegen.[30] Op dit moment wordt volstaan met het geven van een schematische weergave van Slors' theorie en een verdieping van de rol die het fenomeen tijd speelt. Wellicht bekruipt u door de gekozen opzet straks het gevoel dat er nogal grofmazig met grote filosofische thema's wordt omgesprongen. Het gestelde doel op dit moment is echter te laten zien dat de opvatting dat de tijd die tussen het bewuste 'denkwerk' verstrijkt zeker zo belangrijk is als het 'denkwerk' zelf, goed verdedigbaar is en past bij de Aristonide methodiek. De waarde van een filosofische retraite, bestaand uit bewust 'denkwerk' en perioden van ontspanning waarin het 'onbewuste' actief is, komt zo het best tot uiting. Gestart wordt nu met een kort schematisch overzicht van Slors' theorie.[31]

Zoals reeds aangegeven zijn de basiselementen van Slors' theorie 1) het onbewuste 'ik', 2) bewuste gedachten, 3) zelfinterpretatie en 4) de handelingen die we verrichten. Het onbewuste 'ik' wordt gezien als de oorzaak van onze handelingen en de basis waaruit onze bewuste gedachten 'opborrelen'. De bewuste gedachten programmeren het onbewuste 'ik' en kunnen worden geïnformeerd door zelfinterpretaties. Zelfinterpretaties zijn pogingen onze redenen om te handelen te 'verklaren' en te begrijpen. Een zelfinterpretatie bestaat uit het interpreteren van het onbewuste 'ik' en heeft onze fysieke handelingen als aanleiding. Misschien een lastig te volgen verhaal. Wellicht helpt hier Slors' eigen visuele weergave van zijn theorie. Het model is afgebeeld op de volgende pagina.

Van een duidelijke tijdsrichting is in dit model geen sprake. Het aanbrengen van een chronologisch verloop is vrijwel onmogelijk.[32]

Slors presenteert dit model aan het einde van zijn boek na een uitgebreide filosofische analyse te hebben uitgevoerd. In deze analyse heeft hij getracht de resultaten van het onderzoek van Libet en het onderzoek naar het 'Nieuwe Onbewuste' te integreren. Dus nogmaals, de wijze van filosoferen die hij kiest is er een waarbij de resultaten uit de empirische psychologie en neurowetenschappen het vertrekpunt vormen.

Recent wetenschappelijk onderzoek gaat in tegen de dagelijkse intuïtie dat er een causale relatie bestaat tussen onze 'bewuste gedachten' en onze 'handelingen'. De onderdrukking van deze sterke intuïtie is zo mogelijk nog moeilijker dan het corrigeren van de dagelijkse ervaring dat de zon om de aarde draait en niet andersom.

Model:

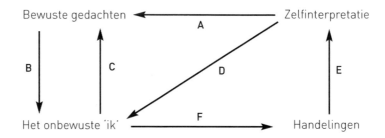

Betekenis van de pijlen:

A = Zelfinterpretaties *informeren* soms, maar niet altijd, onze bewuste gedachten. Soms vinden er rechtvaardigingen plaats, soms wordt er alleen gekwebbeld.

B = Hier vindt zelfprogrammering plaats. Dit proces is betrokken bij het
tot stand komen van handelingen, niet als directe oorzaak, maar als
structurerende oorzaak.[33] Op het onderscheid tussen directe (of initiërende) en structurerende oorzaken wordt nog teruggekomen.

C = Bewuste gedachten 'borrelen op' of 'ontspringen' aan het onbewuste
'ik'.[34]

D = Hier vinden *interpretaties* plaats van het onbewuste 'ik'.

E = Handelingen worden waargenomen en leiden tot zelfinterpretaties.
Slors schrijft: 'Onze zelfinterpretaties zijn niet bedoeld als weergave
van fictieve bewuste episodes vlak voor ons handelen. Het zijn gewoon
pogingen onze redenen om te handelen te begrijpen. En redenen hoeven geen bewuste intenties te zijn.'[35]

F = De relatie tussen het onbewuste 'ik' en onze handelingen is een *causale relatie.* Het zijn *alleen* onbewuste hersenprocessen die iets ver-
oorzaken.[36]

De theorie en het visuele schema van Slors kunnen worden *vertaald* in de driewereldentheorie. Hiermee wordt onder andere be-

oogd een verfijning van zijn theorie tot stand te brengen. De weg naar een integratie van de filosofische retraite, Slors' *philosophy of mind* en de Aristonide methodiek wordt voorbereid. De vertaling van Slors' theorie naar de driewereldentheorie verloopt als volgt.

In de tweede revisie van de driewereldentheorie wordt binnen wereld 2 een onderscheid gemaakt tussen onbewuste en bewuste entiteiten, krachten en gebeurtenissen.[37] Alle entiteiten, krachten en gebeurtenissen in wereld 2 zijn ongeconceptualiseerd en louter subjectief toegankelijk. Bewuste gedachten zijn publiekelijk toegankelijk, geconceptualiseerd en behoren tot wereld 3. Met andere woorden, gedachten kunnen zowel ongeconceptualiseerd (wereld 2) als geconceptualiseerd (wereld 3) zijn. De totale verzameling bewuste gedachten beslaat binnen de driewereldentheorie twee verschillende niveaus (werelden) en bestaat in twee verschillende tijden. Het onderscheid tussen deze twee niveaus (werelden) is niet expliciet terug te vinden in de theorie en het model van Slors. In dit opzicht is de tweede revisie van de driewereldentheorie genuanceerder.

We krijgen nu de volgende figuur:

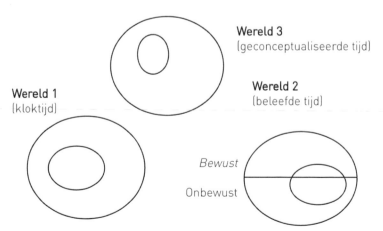

Wereld 3
(geconceptualiseerde tijd)

Wereld 2
(beleefde tijd)

Wereld 1
(kloktijd)

Bewust

Onbewust

De kleine cirkels binnen de werelden geven 'leefwerelden' (deelverzamelingen) weer.

Het oorspronkelijke model van Slors, opgebouwd uit 'bewuste gedachten', 'zelfinterpretaties', 'het onbewuste *ik*' en 'handelingen', kan nu als volgt verder worden gedifferentieerd en worden vertaald in termen van de driewereldentheorie.

De verzameling *bewuste gedachten* is de verzameling bewuste ongeconceptualiseerde gedachten uit wereld 2, verenigd met de verzameling bewuste geconceptualiseerde gedachten uit wereld 3. Onder de bewuste ongeconceptualiseerde gedachten uit wereld 2 worden bewuste mentale houdingen ('propositional attitudes') ten aanzien van concepten, beweringen, theorieën, opvattingen en dergelijke uit wereld 3 verstaan. We kwamen ze al tegen in hoofdstuk IV bij de beschrijving van de situaties 'Gerda, Henk en Marie *geloven* dat *x*' en 'Gerda, Henk en Marie *weten* dat *x*'.

De verzameling *zelfinterpretaties* is de verzameling ongeconceptualiseerde zelfinterpretaties uit wereld 2, verenigd met de verzameling geconceptualiseerde zelfinterpretaties uit wereld 3. Bij een 'zelfinterpretatie' proberen mensen een verhaal op te stellen dat uiteenzet wat hun onbewuste of gedeeltelijk bewuste gedragingen betekenen. Zelfinterpretaties moeten onszelf maar ook anderen inzicht geven in waarom we doen wat we doen. Ze maken onze handelingen 'verklaarbaar'. Er volgt nu een klein voorbeeld ter illustratie.

Als iemand per ongeluk met zijn hoofd tegen een glazen winkelruit aanloopt, zal hij de omstanders, die de gebeurtenis hebben waargenomen en vragen of hij zich heeft bezeerd, uitleggen dat hij de winkelruit niet heeft gezien en meende gewoon naar binnen te kunnen lopen. Zijn verbale verslaggeving hoeft niet noodzakelijkerwijs al op een eerder moment als bewuste gedachte te hebben bestaan, de gedachte op basis waarvan hij besloten zou hebben om naar binnen te lopen. Hij probeert achteraf een verklaring voor hemzelf en voor de omstanders van het voorval te geven. De verklaring of zelfinterpretatie bestaat enerzijds uit concepten, beweringen et cetera die in wereld 3 moeten worden ondergebracht en anderzijds uit de subjectieve mentale houdingen (wereld 2) ten aanzien van deze concepten, beweringen et cetera.

Het onbewuste 'ik' bestaat alleen in wereld 2 in de onbewust beleefde tijd.

Handelingen zijn fysiek van aard en bestaan alleen in wereld 1. Ze zijn publiekelijk kenbaar en onderhouden directe interacties met de fysieke omgeving (wereld 1). De opeenvolging van gebeurtenissen kan nauwkeurig worden gemeten en beschreven in de 'kloktijd'.

De introductie van het 'onbewuste ik' zorgt voor een nieuwe zienswijze op de rol van het bewustzijn. Deze nieuwe zienswijze is bepaald niet onbelangrijk om de werking van een filosofische retraite met de bijbehorende consulten te kunnen begrijpen en op waarde te kunnen schatten.

Tijdens een filosofisch consult staan bewuste reflecties en het denkwerk van de bezoeker centraal. Het werkterrein van de filosofisch consulent is de 'leefwereld' van de bezoeker binnen wereld 3, zo is duidelijk geworden in hoofdstuk I. Het zijn de opvattingen en ideeën binnen dit domein die heel bewust opnieuw worden doordacht, herijkt of van uitbreidingen worden voorzien. De bewuste reflecties oefenen invloed uit op ons 'onbewuste'. Er is sprake van zelfprogrammering. Of zoals Slors schrijft:

'De verhouding tussen bewuste en onbewuste processen in de motivatie van ons handelen is die van een complexe interactie. Enerzijds ontspringt bewuste reflectie aan onbewuste processen. Anderzijds voegt bewuste reflectie daar iets aan toe. Intenties die bewust worden *gevormd* zijn in veel gevallen meer dan de som van een set onbewuste drijfveren. Die intenties programmeren op hun beurt ons onbewuste zodanig dat we vaak handelen in overeenstemming met zo'n programma. De *trigger* van zulke handelingen is vervolgens weer onbewust. Zo is er noch sprake van directe bewuste controle, noch sprake van een overgeleverd zijn aan het onbewuste. Er is een wisselwerking tussen het onbewuste en het bewuste. In die wisselwerking is er ruimte voor wilszwakte en het autonoom opereren van ons onbewuste 'ik'. En er is evengoed ruimte voor zelfbeheersing en wilskracht.'[38]

Bewuste reflecties die uitmonden in 'langetermijnintenties' kunnen worden begrepen als structurerende oorzaken van ons gedrag. In het visuele model van Slors kwamen deze structurerende oorzaken (zie pijl B) al ter sprake. Ons gedrag op korte termijn komt als het ware in dienst te staan van de doelen die horen bij onze intenties op de lange termijn. Door het programmeren van ons onbewuste veranderen onze automatische reacties ('initiërende oorzaken' of 'triggering causes'). Een korte toelichting aan de hand van een voorbeeld, dat Slors zelf ook gebruikt, is hier misschien op zijn plaats.

Een initiërende oorzaak is bijvoorbeeld het indrukken van een lichtknopje zodat er licht is. Als iemand licht wil hebben loopt hij of zij naar een lichtknopje toe om deze vrijwel automatisch in te drukken. Echter, het is niet *alleen* het indrukken van het lichtknopje dat er voor zorgt dat het licht aangaat. Er is ook elektrische bedrading en dergelijke nodig om het licht daadwerkelijk te laten schijnen. De aanleg en de aanwezigheid van de elektrische bedrading en dergelijke kan worden gezien als een structurerende oorzaak. De elektrische bedrading realiseert, als structurerende oorzaak, een situatie waarbij het indrukken van het lichtknopje, als initiërende oorzaak, effect kan sorteren.[39] Het licht gaat schijnen.

Door deze visie verdwijnt de directe causale lijn van een langetermijnintentie naar een concrete handeling. Onze dagelijkse intuïtie over de relatie tussen intenties en handelingen laat ons hier in de steek. Het effect van zelfprogrammering is dat er een geneigdheid ontstaat tot bepaalde handelingen. Er treedt een zekere gevoeligheid op om te handelen in overeenstemming met een gegeven situatie.[40] Mensen krijgen, als ze licht willen hebben, de neiging een lichtknopje in te drukken (en de achterliggende bedrading in werking te stellen) als via zelfprogrammering de gevoeligheid voor deze handeling is bevorderd. Het filosofisch consult en het eigen denkwerk kunnen bijdragen aan de gevoeligheid om in bepaalde situaties ander gedrag te gaan vertonen. Ze oefenen invloed uit op de 'geneigdheden' die iemand op psychologisch niveau karakteriseren.

> *De tijd is de grootste vernieuwer.*
> Francis Bacon

Aanhangers van het Nieuwe Onbewuste hebben experimenteel aangetoond dat het verstrijken van de tijd bijdraagt aan het tot stand brengen van goede keuzes en het ontwikkelen van nieuwe plannen. Ons onbewuste gaat, na reflectie en training van bewuste denkprocessen, voor ons aan het werk. Vermoedelijk is een gezegde als 'Ik moet er eerst nog een nachtje over slapen', dat wordt gebezigd bij het maken van moeilijke keuzes, terug te voeren op de tijd die men nodig meent te hebben om tot een verantwoorde beslissing te komen. Activiteiten als sporten, wandelen, fietsen, spelletjes doen, borrelen en slapen zijn prima zaken om ons onbewuste aan het werk te zetten. Een (meerdaagse) filosofische retraite biedt voldoende van dit soort ontspannende en afleidende activiteiten tussen het bewuste denkwerk door. Wanneer we de rol van het onbewuste en de rol van het verstrijken van de fysieke en beleefde tijd tot ons door laten dringen, dan kan de waarde van ontspannende en leuke activiteiten nauwelijks worden overschat.

Het aan de slag zijn met de leefwereld van een bezoeker in wereld 3 betekent volgens de gedachtegang die tot dusver is gevolgd, dat er invloed wordt uitgeoefend op wie hij is, op zijn identiteit, kortom op zijn 'zelf'. Onze identiteit, ons 'zelf', bestaat enerzijds uit de plannen, ideeën, argumenten en waarden die we hebben (geconceptualiseerd in wereld 3; ongeconceptualiseerd in wereld 2), anderzijds uit de keuzes en handelingen die vanuit het onbewuste (wereld 2) naar voren komen. De interactie tussen bewuste reflectie en het onbewuste van waaruit bewuste bespiegelingen emergeren, staat borg voor een identiteit die dynamisch van aard is.[41] Tijdens een filosofisch consult wordt alleen werk gemaakt van bewuste geconceptualiseerde bespiegelingen in wereld 3. De programmering van het onbewuste volgt vanzelf. De identiteit van mensen bestaat in drie verschillende soorten tijd en is niet iets statisch (in de fysieke kloktijd) zoals vaak wordt gedacht. Er is een levendige interactie tussen de drie leefwerelden van mensen. Het schema uit hoofdstuk III kan, met behulp van dubbele pijlen, worden uitgebreid tot:

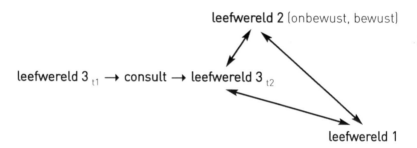

'Leefwereld 1' is de leefwereld van een bezoeker binnen wereld 1.
'Leefwereld 2' is de leefwereld van een bezoeker binnen wereld 2.
'Leefwereld 3' is de leefwereld van een bezoeker binnen wereld 3.
Tijdstip 't1' is een tijdstip dat ligt voor tijdstip 't2'.

De dubbele pijl ⤢ staat voor het wederzijds 'invloed uitoefenen op'.

De kwesties die in dit hoofdstuk zijn aangeroerd zijn uitermate complex. Verder wetenschappelijk onderzoek lijkt noodzakelijk, evenals de conceptuele doordenking van de resultaten door filosofen. Zo vormt bijvoorbeeld de vraag naar de mate waarin zelfprogrammering mogelijk is nog een hele uitdaging. Ook over de rol die de driewereldentheorie bij deze vraagstukken kan spelen is het laatste woord nog niet gesproken. Wellicht vormt dit hoofdstuk slechts een begin van een lange weg die nog is te gaan. Toch kan er een voorlopige balans worden opgemaakt.

De conclusie aan het einde van dit hoofdstuk is dat tijdens een filosofische retraite wordt gewerkt op het niveau van wereld 3, maar dat ontspanning en het ondernemen van afleidende activiteiten noodzakelijk zijn om het onbewuste tot actie over te laten gaan. Nieuwe handelingsperspectieven komen alleen in zicht als de tijd zijn werk kan doen en nieuwe ideeën, argumenten, concepten et cetera de kans krijgen om te beklijven.

> *Na stevig denkwerk is het tijd voor rust en ontspanning.*

HOOFDSTUK VI

Tijd voor bezinning op het gebruik van een methode

We hernemen de casus uit hoofdstuk IV. Gerda, Henk en Marie zijn aan het slot gekomen van hun filosofische retraite. Ze blikken nog even terug op hun periode van bezinning en de groepswandeling die onder leiding van de filosofisch consulent heeft plaatsgevonden.

Gerda: 'Zeg Henk en Marie, wat vonden jullie van onze wandeling? Ik heb die groepswandeling als heel leerzaam ervaren... ja, een bijzondere en goede ervaring mag ik wel zeggen.'

Henk: 'Het fijne aan ons gesprek was dat die filosofisch consulent ons de ruimte gaf onze eigen gedachten te ontwikkelen maar ook daar ingreep waar echte denkfouten werden gemaakt... en hij drong zijn eigen ideeën niet aan ons op. Ik wil eigenlijk van deze gelegenheid gebruik maken om jullie te bedanken voor de wandeling. Ik realiseer me dat ik niet altijd even aardig heb gereageerd op jullie inbreng. Hopelijk hebben jullie mij niet als al te negatief ervaren.'

Marie: 'Ach Henk, maak je geen zorgen. Het zal je toch wel zijn opgevallen dat Gerda en ik echt wel tegen een stootje kunnen... of niet Gerda? Ik moet zeggen dat ik tijdens de wandeling veel heb opgestoken en zaken anders ben gaan bekijken. Ik vraag me eigenlijk af op welke wijze de filosofisch consulent te werk is gegaan. Ja, ... dat interesseert me. De reden daarvoor is dat ik al eens vaker op een filosofisch consult ben geweest, maar het er toen heel

anders aan toeging. Zullen we de filosofisch consulent nog eens be-
zoeken en vragen of hij iets over zijn manier van werken wil vertellen? Eh,…wat vinden jullie van dit voorstel?'

Het betreft hier een terechte vraag gezien het feit dat veel filosofische consulten plaatsvinden (in Nederland) zonder een metho-
dologisch decor of een vastgelegd kader. De werkwijze van consulenten kan zeer verschillend zijn. Het is goed mogelijk dat Marie in
haar eerdere consulten te maken heeft gehad met een consulent
die geen methode hanteerde. Haar interesse in deze materie is heel
begrijpelijk en verdient aandacht.

Henk en Marie in koor: 'Ja, ja… dat is een goed plan.'

Gerda, Henk en Marie gaan met z'n drieën nog eens naar de filosofisch consulent die hen tijdens de wandeling heeft begeleid. In
dit gesprek zal de consulent onder andere ter sprake brengen, dat
het willen en kunnen afleggen van verantwoording aan de bezoeker en aan de samenleving een belangrijke motivatie vormt voor
het gebruik van een methode.

Gerda, Henk en Marie keken terug op hun retraite en het optreden van de filosofisch consulent. Het is een mooi moment om hun
reflectieve houding over te nemen en te bepalen waar we nu staan.

Over het werk van de filosofisch consulent die werkt volgens
de Aristonide methodiek is al veel gezegd. In de hoofdstukken I, III
en IV is de Aristonide methodiek concreet in actie geweest aan de
hand van grotendeels fictieve casuïstiek. Er is voor gekozen de verschillende consulten te laten plaatsvinden in de uiteenlopende levenssferen waarin mensen zich bewegen. Deze keuze is gemaakt
in de hoop de kracht van het filosofisch consult volgens de Aristonide methodiek zo duidelijk mogelijk te maken. Het toepassingsge-
bied van de Aristonide methodiek is in principe ongelimiteerd, zo
kan er worden geconcludeerd.

In dit boek, in hoofdstuk II, is begonnen met een uiteenzetting
van de belangrijkste kenmerken van de Aristonide methodiek.
Deze uiteenzetting ving aan met een introductie van Poppers driewereldentheorie om het werkterrein van de filosofisch consulent
expliciet te kunnen formuleren. Daarnaast werd er stilgestaan bij

de diverse puzzels die ten aanzien van problemen kunnen worden onderscheiden. Puzzels kunnen worden verdeeld in kennis-, waarderings- en praktische puzzels. Ze vormen het gereedschap van het denken.

In hoofdstuk V is geprobeerd om het filosofisch consulentschap volgens de Aristonide methodiek verder te ontwikkelen.

Enerzijds is er aandacht gevraagd voor de drie verschillende soorten puzzels in relatie tot het verstrijken van de tijd. Niet alleen de volgorde waarin puzzels aan de orde komen is belangrijk gebleken maar ook de verwijzing van puzzels zelf naar het verleden, heden en de toekomst zorgt voor een dynamiek die in de gaten moet worden gehouden. (Zo is bijvoorbeeld de vraag 'Is dat schoolgebouw vroeger geverfd?' te analyseren als een *actuele kennispuzzel* over een *materiële gebeurtenis in het verleden*.)

Anderzijds is geprobeerd de Aristonide methodiek binnen een ruimer kader te plaatsen, namelijk het kader van de filosofische retraite. Om deze stap te kunnen zetten lijkt het onvermijdelijk een metafysische claim te aanvaarden. Het bestaan en de werking van het onbewuste moet worden aangenomen om de rol van de tijd tussen de consulten op waarde te kunnen schatten. Het is belangrijk op te merken dat aan deze claim empirisch wetenschappelijk onderzoek van psychologische aard ten grondslag ligt.

Je laten leiden door wetenschappelijke kennis bij het filosoferen, zoals nodig is om de filosofische retraite gestalte te kunnen geven en van een fundament te voorzien, past bij de grondbeginselen van de Aristonide methodiek. Laten we hier nog even bij stilstaan alvorens in te gaan op de vraag waarom er überhaupt met een methode zou moeten worden gewerkt om het filosofisch consulentschap een gezicht te geven.

Naturalisme, waardenrelativisme en de Aristonide methodiek

Om van een filosofisch consult te kunnen spreken is de aanwezigheid van een filosofisch consulent, een bezoeker en een spreekkamer nodig. Het feit dat in een spreekkamer twee comfortabele fauteuils kunnen worden aangetroffen, betekent nog niet automatisch dat er tijdens een consult 'leunstoelfilosofie' wordt bedreven, dus filosofie met de oren en ogen dicht. Het is geen loze speculatie wat de klok slaat. Dit zou de verwijzing naar Aristoteles in de naam 'Aristonide methodiek' ook helemaal geen recht doen. Aristoteles was een man van de wetenschap. Hij had veel op met universele kennis die verkregen wordt met behulp van de zintuigen.

De Aristonide methodiek heeft zeker een bepaalde aantrekkingskracht op consulenten die (on)bewust de neiging hebben empirische kennis een belangrijke rol te laten vervullen bij het oplossen van kennis- en praktische puzzels. Zo kan, terugdenkend aan de casus uit hoofdstuk I, het inzetten van kennis uit de mens- of geesteswetenschappen door de consulent, zeer voor de hand liggen bij de ontwikkeling en de rechtvaardiging van *het idee* dat je kind in goede handen is bij een bepaalde persoon.

Echter, het is te allen tijde de leefwereld van de bezoeker die bepaalt waar in wereld 3 de filosofisch consulent zich zal ophouden tijdens het consult en welke kennisgebieden worden aangesproken. Alle mens- en wereldbeelden, religieus, levensbeschouwelijk, ideologisch of wetenschappelijk gekleurd, dienen even serieus te worden genomen wanneer het erom gaat het denken van de bezoeker verder te brengen. De houding van de filosofisch consulent is er een waarbij hij zijn kennis, kunde en vaardigheden, als wijsgerig specialist binnen wereld 3, in dienst stelt van de bezoeker.

De eerlijkheid gebiedt te zeggen dat de presentatie van een nieuw idee om het denkwerk aangaande kennis- of praktische puzzels verder te brengen vaak niet geheel willekeurig is. Zeker wanneer de filosofisch consulent nog geen enkele notie heeft van de verblijfplaats van de bezoeker binnen wereld 3.[42] De consulent zal in zijn verkenningen van de verblijfplaats van de bezoeker aanvankelijk 'dicht bij huis blijven', dat wil zeggen in de buurt van een voor hem betrouwbare plek binnen zijn eigen leefwereld. Het is daarom goed om stil te staan bij de grondhouding en leefwereld van de filosoof die zich als filosofisch consulent opwerpt.

De aantrekkingskracht van een *naturalistische* houding ten aanzien van wetenschappelijke kennis is voor een aanhanger van de Aristonide methodiek niet verwonderlijk. 'Naturalisme' komt grofweg neer op een houding waarbij men zich tijdens het filosoferen laat informeren door de laatste wetenschappelijke stand van zaken.[43] Nogmaals, ook Aristoteles was een denker die zich graag liet leiden door kennis waarbij de zintuigen zeggenschap hebben. Maar welke rechtvaardiging kan worden opgevoerd om als filosofisch consulent in *beginsel* een naturalistische houding aan te nemen bij het doordenken van kennis- en praktische puzzels? Laten we eens een klein beginnetje maken.

Wetenschappelijke kennis mag misschien feilbaar en voorlopig van aard zijn, er zijn goede redenen te geven om wetenschappelijke theorieën en beweringen een hoge status toe te kennen. De successen van de wetenschap zijn onmiskenbaar groot. Vele voorbeelden kunnen daarvoor als bewijsmateriaal worden aangevoerd. Daarnaast wordt het dagelijks leven en dus ook het leven van de bezoeker van de praktijk en dat van de filosofisch consulent, in hoge mate door wetenschappelijke kennis beïnvloed. De wetenschap heeft op alle fronten van ons leven de nodige stempels gedrukt. De consulent en de bezoeker kunnen deze stempels als gemeenschappelijke basis gebruiken voor de start van een dialoog bij het oplossen van kennis- en praktische puzzels.

De argumenten die in het wetenschappelijk debat circuleren, kunnen worden gebruikt om vastgelopen gedachtesporen van de bezoeker los te weken en nieuwe denkruimte te creëren. De consulent kan, mits goed op de hoogte van wetenschappelijke ontwikkelingen en wetenschapshistorische kwesties, alternatieve theorieën plaatsen tegenover opvattingen die door de bezoeker als vaststaande waarheden worden aangenomen. De speelruimte hangt af van het specifieke wetenschappelijke terrein en de kennis- of praktische puzzel die tijdens het consult op tafel ligt. Deze bewering behoeft misschien enige toelichting.

Kennis, kennis- of praktische puzzels kunnen een meer situationeel of een meer universeel karakter hebben, zowel in tijd als ruimte. Een kennis- of praktische puzzel over een huiselijke kwestie, bijvoorbeeld, speelt zich op een andere schaal af dan een puzzel van maatschappelijke of mondiale aard. Zo is bijvoorbeeld de puzzel 'Wat is de verklaring voor het feit dat mijn collega op dit moment meer verdient dan ik?' zowel in omvang als tijd als perspectief, van een andere orde dan de puzzel 'Wat is de verklaring voor het feit dat de economie in Duitsland de afgelopen jaren sneller is gegroeid dan de economie in Nederland?'. Universele kennis van economische aard zal bij de beantwoording van de laatste puzzel doorgaans een grotere rol vervullen dan bij de beantwoording van de eerste. Bij het oplossen van veel kennis- en praktische puzzels die voortkomen uit het dagelijks leven komt waarschijnlijk helemaal geen doorwrochte wetenschappelijke kennis om de hoek kijken. Een goed gevormde intuïtie kan dan vaak volstaan.

Maar ondanks de voorkeur(en) die de consulent in *beginsel* heeft voor de inzet van specifieke kennisdomeinen bij het oplossen van kennis- en praktische puzzels, dient er altijd met de bezoeker te worden *meegedacht*. Het is niet aan de consulent om van tevoren te bepalen in welke richtingen oplossingen moeten worden gezocht. De leefwereld van de bezoeker is altijd leidend bij het oplossen van puzzels.

Tot zover de wijziging van attitude van de praktijkhouder ten aanzien van kennis, kennis- en praktische puzzels wanneer hij zijn kledij als filosoof verwisselt voor die van een filosofisch consulent. Maar welke houding wordt zichtbaar als het gaat om het formuleren en doordenken van waarderingspuzzels in de spreekkamer?

De overgang van de rol van professioneel vak-denker naar die van filosofisch consulent wordt gekenmerkt door de niet-vooringenomenheid die de consulent aan de dag legt ten aanzien van opvattingen en ideeën op het gebied van de (meta-)ethiek. De opvattingen van de filosoof, in de hoedanigheid van filosofisch consulent, worden tijdelijk 'uitgezet'. De persoonlijke waarderingen worden dus bewust geneutraliseerd waardoor de consulent, gedurende het consult, als uitgangspunt de (propositionele) attitudes (wereld 2) van de waardenrelativist heeft.[44] Alleen zo kan een bezoeker maximaal profiteren van de expertise van een vak-denker. En alleen zo kan de bezoeker de filosofisch consulent 'gebruiken' om zijn eigen leefwereld in wereld 3 te onderzoeken en eventueel aan te passen. De bezoeker 'leest' de (meta-)ethische kennis van de filosofisch consulent zonder te worden gehinderd of beïnvloed door de persoonlijke waarderingen en ethische opvattingen van de filosofisch consulent. Een klein voorbeeld ter illustratie.

De opvattingen van de filosofisch consulent ten aanzien van de drie puzzels die in het gesprek met Betty in hoofdstuk I op tafel kwamen te liggen zijn gewoonweg niet interessant en doen niet ter zake. De persoonlijke gedachten van de filosofisch consulent omtrent deze kwesties zijn dan ook niet terug te vinden in de eerste casus.

In zoverre de filosofisch consulent er niet in slaagt neutraal te opereren tijdens een consult moeten de (al dan niet verborgen) waarden expliciet worden gemaakt. De gepraktiseerde waarden dienen helder en begrijpelijk te zijn voor de bezoeker van de praktijk. Hierin lijkt de aard van het filosofisch consulentschap volgens de Aristonide methodiek flink te verschillen van de aard van veel hedendaagse coachingsactiviteiten, zeker wanneer het activiteiten binnen organisaties betreft. Na een uitvoerig onderzoek stelt R.H.J. Wolbink in zijn proefschrift dat dergelijke activiteiten een verborgen morele agenda hebben die nauw aansluit bij onze neoliberale tijdgeest en waarin het ideaalbeeld van degene die wordt gecoacht (coachee) overeenkomt met dat van de homo economicus. De waarden die op deze agenda centraal staan zijn 'autonomie', 'rationaliteit', 'zo veel mogelijk voordeel uit de omgeving halen', 'persoonlijke behoeftebevrediging' en 'geluksmaximalisatie'.[45] Van een oprecht gesprek tussen twee mensen is volgens hem geen sprake: 'Het coachen kan opgevat worden als het inspireren van de coachee tot een levensverhaal, waarvan de plot allang vast staat.'[46] Overigens, het mensbeeld dat aan coaching ten grondslag ligt lijkt ook meer bij de platoonse traditie met haar essentialistische denkwijze aan te sluiten: 'De mens wordt in het huidige coachingsparadigma gekenmerkt door een te ontdekken kern, een zelf.'[47]

Concluderend, de stap die een filosoof zet naar het filosofisch consulentschap is vooral te typeren als een tijdelijke wijziging van attitude. Hij probeert inhoudelijk gezien zo min mogelijk sturend op te treden bij het formuleren en uitwerken van kennis- en praktische puzzels. De persoonlijke (meta-)waarderingen van de filosofisch consulent worden gedurende het consult geneutraliseerd. Het werkterrein wordt verlegd van de eigen leefwereld naar de leefwereld van de bezoeker in wereld 3. Alleen zo kan een filosoof de rol van filosofisch consulent aannemen. Het doel is een situatie tot stand te brengen waarin de kennis, kunde en vaardigheden van de filosofisch consulent zo volledig mogelijk in dienst van de bezoeker worden gesteld. Dit alles in een professionele en respectvolle omgang met de bezoeker tijdens het consult.

Zoals aangegeven in de inleiding van dit hoofdstuk is het bepaald geen vanzelfsprekendheid dat filosofisch consulenten werken met een uitgewerkte methodiek of richtlijn. De belangrijke vraag waarom ervoor is gekozen om überhaupt te werken met een methodiek tijdens een consult of filosofische retraite is tot dusverre onderbelicht gebleven. De volgende paragraaf is bedoeld om tot een antwoord op deze vraag te komen.

Methodiek als gezicht van het filosofisch consult

Filosofisch consulenten zijn al geruime tijd verdeeld ten aanzien van de vraag of het hanteren van een methodiek voor het filosofisch consult gewenst is. In 2011 viel over deze kwestie in het wetenschappelijk artikel 'Filosofisch consulentschap: zwarte doos van Pandora?', geschreven door Katrien Schaubroeck en Jens De Vleminck, het volgende te lezen:

'Het filosofisch consulentschap kan geen lang noch een gelukkig leven beschoren zijn wanneer het pretendeert psychotherapie te zijn, en evenmin wanneer het de banden met de academische filosofie doorknipt. De reëelste dreiging voor zijn voortbestaan gaat echter momenteel uit van de ongegronde afkeer die vele filosofisch consulenten koesteren voor methodische systematisering en structurele verankering in een maatschappelijk erkende en herkenbare sector. Enkel wanneer dit manco verder kan worden verholpen, kan het filosofisch consulentschap een welkome aanvulling bieden op het bestaande therapie- en counselingaanbod, alleen nog maar gelet op de lange wachtlijsten in de geestelijke gezondheidszorg.'[48]

Dat filosofisch consulenten niet de pretentie moeten willen hebben zich op het terrein van de psychotherapie te begeven maar een eigen profiel dienen te ontwikkelen, blijkt nogmaals uit een andere passage in hetzelfde artikel:

'Vanuit de psychotherapiesector zelf komt de laatste tijd meer en meer het signaal dat cliënten zich op consultatie aanbieden met 'normale' menselijke problemen, existentiële vragen of alledaags algemeen-menselijk ongeluk, waarbij psychotherapie niet of nauwelijks helpt.'

Uit deze bewering blijkt dat er een duidelijk onderscheid moet worden gemaakt tussen 'normale problemen' en stoornissen of pathologieën. De behandeling van de laatste twee groepen, de stoornissen en de pathologieën, behoort tot de expertise van de psycholoog en psychiater. Hier ligt geen werk voor de filosofisch consulent. 'Normale problemen' hoeven niet te worden *behandeld* maar vragen om gedegen denkwerk, al dan niet onder begeleiding van een vakdenker. De reclame uiting 'De filosofisch consulent is er voor al uw *gezonde* problemen' om het filosofisch consulentschap te promoten, is in dit kader wellicht niet eens zo gek.[49]

Pim Cuijpers schrijft in zijn boek *Psychotherapie. Een wetenschappelijk perspectief* (2012) het volgende over de eventuele medicalisering van 'alledaagse problemen':

'Hoe kunnen we bepalen of psychische stoornissen in feite 'alledaagse problemen' zijn die geen behandeling behoeven? Welke criteria zouden we daarvoor kunnen hanteren? Je zou kunnen zeggen dat het helemaal niet zeker is dat psychische stoornissen ook echt een ziekte zijn, zoals diabetes of kanker. (...) Om te bepalen of psychische aandoeningen wel echte problemen zijn die behandeling vergen, zou je ook kunnen kijken naar de mate waarin de kwaliteit van leven van cliënten is aangetast. Uit onderzoek dat daarnaar is uitgevoerd, blijkt keer op keer dat psychische stoornissen de kwaliteit van leven ernstig aantasten.'⁵⁰

Cuijpers lijkt in deze passage een logische denkfout te maken, een denkfout die al eerder in hoofdstuk 4 uitgebreid aan bod is geweest. Laten we een kleine analyse van de woorden van Cuijpers uitvoeren.

Aan de bewering 'Om te bepalen of psychische aandoeningen wel echte problemen zijn die behandeling vergen, zou je ook kunnen kijken naar de mate waarin de kwaliteit van leven van cliënten is aangetast.' ligt de volgende veronderstelling ten grondslag: 'Als je een psychische stoornis hebt, dan tast dat de kwaliteit van je leven aan.' Het woord 'daarnaar' in de frase 'Uit onderzoek dat daarnaar is uitgevoerd (…)' lijkt te verwijzen naar 'de mate waarin de kwaliteit van leven van cliënten is aangetast'. Dat de kwaliteit van leven van cliënten is aangetast lijkt in ieder geval vast te staan. De bewering '*Als* je een psychische stoornis hebt, *dan* tast dat de kwaliteit van je leven aan' in combinatie met de bewering 'De kwaliteit van je leven is aangetast' leidt niet op logische gronden tot de conclusie dat de oorzaak altijd een psychische stoornis is. De kwaliteit van een leven kan ook aangetast worden door problemen in het denken of door slecht denkwerk. Cuijpers toont in zijn redenatie dus niet aan dat 'alledaagse problemen' niet worden gemedicaliseerd door psychologen, psychiaters en dergelijke. (Wellicht is het onderzoek waar Cuijpers naar verwijst genuanceerder en preciezer geformuleerd.) Het is goed denkbaar dat psychotherapie niet of nauwelijks werkt bij het oplossen van 'alledaagse problemen' omdat psychotherapie, in tegenstelling tot het filosofisch consult, gericht is op genezen.

Wil een filosofisch consulent aan de buitenwacht kunnen uitleggen en rechtvaardigen wat hij doet, dan lijkt het hanteren van richtlijnen of een methodiek op het eerste gezicht onontkoombaar. Of anders gesteld, om het filosofisch consulentschap tot een volwaardig en maatschappelijk geaccepteerd beroep met een duidelijk gezicht te laten uitgroeien, lijkt het gebruik van een methodiek een vereiste. Maar is dat ook zo? Hebben filosofisch consulenten die zich niet in willen laten met methodische systematisering van hun werk toch niet het gelijk aan hun kant? Laten we proberen deze kwestie verder te doordenken aan de hand van een boek dat ontstaan is in de praktijk en dat denkgereedschappen aanreikt om 'alledaagse' problematiek op filosofische wijze te benaderen.

In het boek *Denkgereedschap 2.0. Een filosofische onderhoudsbeurt* (2010) van Paul Wouters wordt niet zozeer ingegaan op de grote filosofische vraagstukken, maar is gekozen voor een 'methodische invalshoek' ten aanzien van de 'kleine vraagstukken' uit het menselijk leven. De auteur presenteert de lezer een zevental denkgereedschappen die ieder hun eigen na- en voordelen hebben en op gepaste momenten kunnen worden ingezet. Deze denkgereedschappen zijn terug te voeren op de grote stromingen die de filosofische traditie rijk is. (Let op! Het begrip 'denkgereedschap' staat niet meer voor het onderscheid tussen kennis-, waarderings - en praktische puzzels maar krijgt hier een nieuwe betekenis.) Zo kan men bijvoorbeeld gebruik maken van de metaforische 'winkelhaak' die is geënt op het transcendentaal denken of van de zogenoemde 'decoupeerzaag' die is gebaseerd op de analytische wijsbegeerte. (De wijze waarop Paul Wouters in zijn boek deze denkgereedschappen uiteenzet, zal hier verder onbesproken blijven.)

In de filosofische consultatiepraktijk staat het denken van de bezoeker centraal en probeert de consulent zijn kennis en kunde daarvoor in te zetten. Wanneer een bezoeker bij een filosofisch consulent aanklopt met een bepaald vraagstuk uit zijn of haar leven, lijkt alles wat de filosofische traditie in huis heeft beschikbaar te mogen worden gesteld. Het gaat er niet om tijdens consulten allerlei namen van filosofen en stromingen te laten vallen maar om de reeds ontwikkelde denksporen, vorm gekregen in de traditie, actief te gebruiken. Het systematisch negeren of niet goed op de hoogte zijn van bestaande ideeën betekent dat tijdens een consult allerlei wielen opnieuw moeten worden uitgevonden met alle (financiële) investeringen van dien.

De filosofische denkgereedschappen van Paul Wouters zijn voor het filosofisch consult uitstekend bruikbaar. Ze lijken, als verzameling genomen en als zodanig ingezet, in overeenstemming te zijn met de kennis- en waardeneutrale houding die een consulent tijdens een consult in acht neemt. Dus of nu de 'schroefboormachine' (hermeneutiek), de 'hamer-en-beitel' (wezensdenken), de 'koevoet' (dialectiek) of allerlei aangepaste gereedschappen in stelling worden gebracht, zolang de bezoeker van een praktijk naar zijn idee verder wordt geholpen met zijn denkproces, lijkt in beginsel alles geoorloofd. Immers, het denkproces van de bezoeker is leidend in het filosofisch consult.

Maar hoe liggen de zaken ten aanzien van de filosofie of grondbeginselen van de filosofische consultatiepraktijk zelf? Kan daar ook op elk moment en op elke plaats naar eigen believen worden gesnoept uit de voorraadkast van de filosofie? Of anders geformuleerd, gegeven het feit dat de filosofische consultatiepraktijk van origine is geworteld in de filosofische traditie met haar vele gezichten, betekent dit automatisch dat men zich als een relativist kan opstellen, wars van elke vorm van methodische systematisering? (De vragen die hier worden gesteld bevinden zich op metaniveau ten opzichte van de dialoog tussen de consulent en de bezoeker van een praktijk.)

Door een filosofisch consulent met een postmodernistische inslag ten aanzien van de grondbeginselen van het filosofisch consulentschap, zullen deze vragen waarschijnlijk met 'ja' worden beantwoord. De filosofie van zijn consultatiepraktijk zal vermoedelijk nauw aansluiten bij het denkgereedschap 'de werkende mens' (deconstructivisme) van Paul Wouters. Kenmerkend voor de opvattingen van de postmodernistische denker is dat alle kennis moet worden gezien als 'slechts' een verhaal en dat het onderscheid tussen fictie en non-fictie in feite niet te maken is. Of de verhalen nu gaan over logica, atomen, cellen, Sneeuwwitje, praten met bomen of een vaderloze Jezus, allemaal hebben ze dezelfde status. De traditionele Grote Verhalen, die lange tijd richtinggevend waren, hebben het veld moeten ruimen. De zoektocht naar waarheid, waarden en rechtvaardiging lijkt vanuit een postmodernistisch perspectief elke betekenis te hebben verloren.

Het gevaar dreigt nu dat wanneer de postmodernistisch geori-enteerde filosofisch consulent wordt gevraagd door 'buitenstaanders' waarvoor hij zich precies laat betalen, hij door zijn eigen relativistische houding niet serieus wordt genomen. Immers, de rechtvaardiging van de filosofische consultatiepraktijk, geschoeid op postmodernistische leest, staat door haar eigen uitgangspositie zwaar onder druk. De grondbeginselen van zo'n praktijk kunnen namelijk worden afgedaan als zijnde slechts particulier en individueel bepaald zonder de mogelijkheid tot intersubjectieve toetsing. Ook ontbreekt elke mogelijkheid om kwaliteitscriteria op te stellen voor de diensten die door dit type consulent worden aangeboden. In feite kan langs deze weg, met alle negatieve consequenties van dien, iedereen zich filosofisch consulent noemen, ongeacht zijn of haar vorming, ervaring en scholing. Wil het filosofisch consulentschap als vak serieus genomen worden dan hebben filosofen, die op dit terrein actief zijn, zich dat ten volle te realiseren.

Rest er niets anders dan te pleiten voor één ultieme methode en één grondbeginsel waaraan iedere consulent zich moet committeren? Nee, absoluut niet. Er kunnen zonder enig probleem verschillende typen filosofische consultatiepraktijken met geheel eigen methoden naast elkaar bestaan. De eis die wel lijkt te mogen worden gesteld is dat volledig duidelijk is (voor de bezoekers) wat er in zo'n praktijk precies gebeurt, hoe en waarom. Zo kunnen mensen met 'kleine levensproblemen' zelf kiezen of ze naar een praktijk gaan met, metaforisch en kort door de bocht, een 'koevoet', een 'decoupeerzaag' of een 'hamer-en-beitel' boven de deur. Allerlei combinaties zijn natuurlijk ook denkbaar. Bezoekers zullen, al dan niet (goed) geïnformeerd over deze verschillen, zelf moeten ontdekken en bepalen welke praktijk het beste bij hen of hun vraagstellingen past. Vermoedelijk zullen bezoekers, die niet eerder met filosofie of met filosofisch consulenten in aanraking zijn gekomen, de diverse gereedschappen niet eens herkennen. Dit is ook helemaal niet erg. Waar het om gaat is dat filosofische consultatiepraktijken een duidelijk maatschappelijk profiel kunnen laten zien en dat ze op hun pretenties, expertise en activiteiten, indien nodig, aangesproken kunnen worden.

Uiteindelijk zal het gereedschap (of combinaties daarvan) dat boven de deur van een praktijk hangt ook aangeven welk gereedschap de desbetreffende filosofisch consulent het meest eigen is. Dit gereedschap zal vermoedelijk het meest doeltreffend kunnen worden ingezet tijdens het gesprek met de bezoeker. Enige specialisatie hoeft de filosofisch consulent dus niet vreemd te zijn, ondanks de kennis- en waardeneutrale houding die in beginsel wordt aangenomen door de consulent tijdens een consult. Zo zullen filosofisch consulenten die werken volgens de Aristonide methodiek bijzonder goed overweg kunnen met de decoupeerzaag.

De enige praktijk die principieel ter discussie staat, althans wil het filosofisch consulentschap een serieuze kans op duurzame maatschappelijke erkenning hebben, is de consultatiepraktijk die op postmodernistische en relativistische wijze is 'gefundeerd'. Men zou zelfs de vraag kunnen stellen of hier wel sprake is van een praktijk aangezien de stabiele waarde van het filosofisch consulentschap als 'verhaal' door haar eigen uitgangspositie wordt ondergraven.

Helaas is de situatie momenteel zo dat slechts een uitgewerkte methodiek voorhanden is voor de filosofisch consulent, namelijk de Aristonide methodiek. De werkwijze en de aard van deze methodiek is u als lezer inmiddels bekend.[51]

Het is meer dan wenselijk dat het onderscheid tussen waardeneutraliteit tijdens consulten en het waardenrelativisme, aangaande de grondbeginselen van het filosofisch consulentschap, breed wordt erkend. De methodische identiteit van een consultatiepraktijk dient helder, eenduidig en intersubjectief bekritiseerbaar te zijn. Alleen zo kan, in overeenstemming met het artikel van Katrien Schaubroeck en Jens De Vleminck, het filosofisch consulentschap een gewenste toevoeging zijn aan de huidige therapie- en counselingmogelijkheden. Het zou een gemiste kans zijn als het mooie en *waardevolle* beroep van filosofisch consulent daadwerkelijk zou verworden tot een zwarte doos van Pandora.

Ter afsluiting dan nog een keer een kort pleidooi voor de waarde van de Aristonide methodiek.

Het ontologisch schema van Karl Popper, in de vorm van de driewereldentheorie, heeft de mogelijkheid in zich om de filosofische retraite en het filosofisch consult van een fundering te voorzien. Deze fundering heeft zowel een theoretische als een praktische waarde. Ze schept een denkruimte voor mensen waarbinnen over problemen en puzzels, die ontstaan in het dagelijkse leven, kan worden nagedacht. Deze puzzels onderhouden, in tegenstelling tot wat vaak wordt gedacht, een nauwe relatie met academische vraagstukken. In de derde casus bijvoorbeeld, in hoofdstuk IV, was duidelijk zichtbaar hoe een ogenschijnlijk puur theoretische puzzel, met pedagogische, politieke en ethische dimensies, volledig uit het dagelijkse leven voortkwam. Academische vraagstukken en puzzels die worden geformuleerd tijdens een filosofische retraite of consult, hangen niet in de lucht en vormen niet louter een soort intellectueel vermaak. Ze hebben hun wortels buiten de wijsbegeerte en in het leven zelf. Het zijn geen schijnproblemen en doen er terdege toe. Of zoals Popper schrijft:

> 'My thesis is that, in order to gain a *real understanding* of any given problem (say, Galileo's problem situation) more is needed than an analysis of this problem or of any problem for which some good solution is known to us: in order to understand any such 'dead' problem we must, at least once in our life, have seriously wrestled with some live problem. Thus my answer to the metaproblem: 'How can we learn to understand a scientific problem?' is: by learning to understand some *live* problem. And this, I assert, can be done only *by trying to solve it, and by failing to solve it.* (…) So we learn to understand a problem by trying to solve it, and by failing. And when we have failed a hundred times, we

may even become experts with respect to this particular problem.'[52]

De problemen waar Popper zich mee bezighield en waar we ons volgens hem mee bezig moeten houden zijn niet alleen theoretisch-filosofisch van aard. Ze betreffen ook het goede leven en het goede samenleven. Bij het realiseren van dat goede (samen)leven kunnen het filosofisch consult en de filosofische retraite een belangrijke rol vervullen.

Samenvattend, door de filosofisch consulent wordt werk gemaakt van denkwerk. Daarnaast spelen ontspanning en rust een cruciale rol om het onbewuste in beweging te zetten. Bij deze twee laatste activiteiten kunnen alle drie de werelden in mindere of meerdere mate betrokken zijn. De theoretische onderbouwing van de filosofische retraite en de methodiek die wordt gebruikt bij het filosofisch consult behoren tot wereld 3. De driewereldentheorie, met haar werelden, tijden en relaties, functioneert in dit verband als een prachtig (meta)filosofisch instrument.

'Niets is zo praktisch als een goede theorie.'
Kurt Lewin

Vooralsnog is er genoeg tijd besteed aan denkwerk ... neem rust en ontspan u!

Dankwoord

Voor de totstandkoming van dit boek heb ik de hulp en ondersteuning van verschillende mensen gehad die een woord van dank verdienen.

Om te beginnen bedank ik Eite Veening, de grondlegger van de Aristonide methodiek. Het is deze methode geweest die mij ervan heeft overtuigd dat het voeren van filosofische gesprekken in een spreekkamer mogelijk en gerechtvaardigd is. Eite Veening is voor mij al lange tijd een belangrijke inspirator waar het gaat om het onderzoeken van de mogelijkheden van de driewereldentheorie. Ook ben ik hem dank verschuldigd voor zijn commentaar op het manuscript.

Het is mede dankzij het aanstekelijk enthousiasme van Erno Eskens (uitgever van de ISVW) geweest, dat ik met dit boek ben begonnen. Ik bedank hem voor zijn commentaar en suggesties. Het was ook zijn idee om *Het filosofisch consult* en dit boek van een sterk gelijkend kaft te voorzien. Hoewel de twee boeken door twee verschillende auteurs zijn geschreven horen ze in zekere zin bij elkaar, zo was zijn achterliggende gedachte. Redacteur Hermien Lankhorst bedank ik graag voor haar uitstekende suggesties, correcties en taalkundige adviezen.

De leden van *Stichting de Hoofdzaken* (www.hoofdzaken.org) bedank ik voor hun gedachtewisselingen over de Aristonide methodiek. Met hen samen hoop ik in de toekomst nog veel plezier aan deze methode te mogen ontlenen.

Tot slot bedank ik graag mijn vriendin Yvette van Doormolen voor haar redactionele bijdrage aan dit boek. Haar zorgvuldigheid en oog voor detail zijn niet alleen van waarde voor een boek als dit maar zijn ook van grote betekenis voor mijn persoonlijk leven.

Arnhem, 2015

Bijlage

Flowchart (stroomschema) van het filosofisch consult volgens de Aristonide methodiek

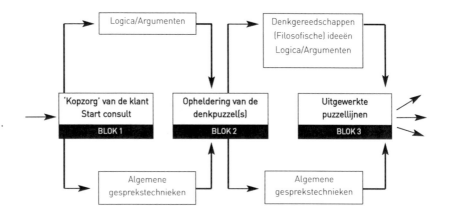

In stappen weergegeven:

1) De bezoeker meldt zich met een 'kopzorg' en wil de kwaliteit van zijn denken verbeteren. Er volgt een kort intakegesprek. [BLOK 1]

2) De 'kopzorg' wordt al denkende en in samenspraak met de filosofisch consulent 'omgevormd' tot een of meerdere denkpuzzels. Deze fase wordt gekenmerkt door een analyserend ontleden van de 'kopzorg'; de kluwen gedachten wordt ontward. In dit proces spelen logica en argumenten een doorslaggevende rol. Het komt regelmatig voor dat in deze fase al (deel)puzzels worden opgelost. [Van BLOK 1 naar BLOK 2.]

3) Opheldering van de denkpuzzel(s). In de Aristonide methodiek worden kennis-, waarderings- en praktische puzzels onderscheiden. In deze fase wordt ook de rangorde bepaald waarin de denkpuzzels worden doordacht. Zo kan het bijvoorbeeld zijn dat eerst een kennispuzzel moet zijn opgelost alvorens met de doordenking van een waarderingspuzzel te kunnen beginnen. [BLOK 2]

4) Doordenking van de denkpuzzel(s). In deze fase wordt gebruik gemaakt van logica, argumenten en ideeën uit de filosofische (en wetenschappe-

lijke) traditie. De filosofisch consulent kan in deze fase de rol van spar-ringpartner hebben en beschikt daarnaast over een 'magazijn' met ideeën. De bezoeker hoeft de kant-en-klare ideeën uit de filosofische (en wetenschappelijke) traditie niet nogmaals zelf te ontwikkelen. [Van BLOK 2 naar BLOK 3.]

5) De resultaten van de vorige fasen zijn uitgewerkte denksporen. De be-zoeker heeft een nieuwe intellectuele 'verblijfplaats' in het landschap van ideeën, opvattingen en beschouwingen. Het is de bezoeker die de kwaliteit van deze nieuwe 'verblijfplaats' beoordeeld. De bezoeker en fi-losofisch consulent nemen (voorlopig) afscheid. [Het verlaten van BLOK 3.]

Algemene opmerkingen:

a) De bezoeker bepaalt de *snelheid* waarin de verschillende fasen worden doorlopen. Het denkproces dient zelf 'leefbaar' te zijn.[53] Soms kan het nodig zijn een bepaalde fase te herhalen. Zo kan het voorkomen dat na fase 4 terug wordt gegaan naar fase 3 om de volgorde van de denkpuz-zels opnieuw te bepalen.

b) Naast de filosofische kant van het consult is de filosofisch consulent verantwoordelijk voor de procesmatige kant van de gesprekken. Om tot een goede gespreksvoering te komen worden door de filosofisch con-sulent algemene gesprekstechnieken ingezet.

Literatuurlijst

Aristoteles, *The Nicomachean Ethics*, Translated with an Introduction by Ross, D. (Revised by Ackrill, J.L. and Urmson, J.O, Oxford: Oxford University Press (1980))

Cuijpers, P. (2012) *Psychotherapie. Een wetenschappelijk perspectief*, Amsterdam: Bert Bakker.

Derksen, A.A. (1992) *Wetenschap of willekeur. Wat is wetenschap?*, Muiderberg: Dick Coutinho. (Eerste druk 1985)

Dijksterhuis, A. (2008) *Het slimme onbewuste. Denken met gevoel*, Amsterdam: Bert Bakker.

Gaag, van der H. (2013) *Wie het niet weet mag het zeggen. In de spreekkamer van de filosofische praktijk*, Leusden: ISVW Uitgevers.

Hermsen, J.J. (2009) *Stil de tijd. Pleidooi voor een langzame toekomst*, Amsterdam: De Arbeiderspers.

Kuhn, T.S. (1962) *The Structure of Scientific Revolutions*, Chicago: University of Chicago Press (2ᵉ editie 1970) (Nederlandse vertaling door Willink, B. (1972): *De Structuur van Wetenschappelijke Revoluties*, Amsterdam: Boom)

Libet, B., Gleason, C.A., Wright, E.W. en Pearl, D.K. (1983) 'Time of Conscious Intention to Act in Relation to Onset of Cerebral Activity (Readiness-Potential). The Unconscious Initiation of a Freely Voluntary Act', *Brain. A Journal of Neurology* 106 (Pt 3), pp. 623-642.

Popper, K.R. (1968) *The Logic of Scientific Discovery*, New York: Harper & Row. (Eerste editie *Logik der Forschung* (1934), Wenen: Springer)

Popper, K.R. (1972) *Objective Knowledge. An Evolutionary Approach*, Oxford: Oxford University Press. (Revised Edition 1979)

Popper, K.R. en Eccles, J.C. (1977) *The Self and Its Brain*, Berlijn: Springer.

Popper, K.R. (1978) *Autobiografie*, Utrecht: Spectrum. (Oorspronkelijke titel: *Unended Quest*, uitgegeven door Fontana/Collins. Vertaald door Birner, J. en Vries, de R.)

Reijen, M. (2014) *Filosoferen over emoties*, Leusden: ISVW Uitgevers.

Schaubroeck, K. en De Vleminck, J. (2011) 'Filosofisch consulentschap: zwarte doos van Pandora?' in: *Tijdschrift voor Filosofie*, 73/2011, pp. 307-340. Leuven: Uitgeverij Peeters.

Singer, P. (2001) *Een ethisch leven*, Utrecht: Uitgeverij Het Spectrum. (Vertaling. Oorspronkelijke titel: *Writings on an Ethical Life* (2000))

Slors, M. (2012) *Dat had je gedacht! Brein, bewustzijn en vrije wil in filosofisch perspectief*, Boom: Amsterdam.

Talhout, R. (2006) 'Filosofisch consult of rationeel-emotieve therapie?' in: *Filosofie*, 16 (2), pp. 30-33.

Veening, E.P. (1998) *Over de Werkelijkheid van Drie Werelden*, proefschrift, Wageningen: Ponsen & Looijen.

Veening, E.P. (2006) *Klein Handboek Filosofische consultatie volgens de Aristonide methodiek*, Groningen: Stichting De Hoofdzaken. (Eerste druk 2002)

Veening, E.P. (2014) *Het filosofisch consult*, Leusden: ISVW Uitgevers.

Verplaetse, J. (2008) *Het morele instinct. Over de natuurlijke oorsprong van onze moraal*, Amsterdam: Uitgeverij Nieuwezijds.

Vries, de A. (2009) *De Emergentie en Evolutie van Drie Werelden. Tweede Revisie van Poppers Driewereldentheorie*, proefschrift, Enschede: Ipskamp Drukkers.

Vries, de A. (2011- heden) Blog: www.worldforthinkers.com. Delen van de tekst in dit boek zijn al eerder op dit blog verschenen. (De flowchart (zie bijlage) is gepubliceerd op www.hoofdzaken.org .)

Willemsen, H. (Red.) (1992) *Woordenboek Filosofie*, Assen/ Maastricht: Van Gorcum

Wolbink, R.H.J. (2012) *De coach, de begeleider van de laatste mens?*, proefschrift, Den Bosch: Proefschriftmaken.nl.

Wouters, P. (2010) *Denkgereedschap 2.0. Een filosofische onderhoudsbeurt.* (Eerste druk 1999) Lemniscaat: Rotterdam.

Noten

[1] Zie ook Veening 2014, 140-142.

[2] De fasering in het consult die hier wordt aangehaald is beschreven in *Het filosofisch consult* (Veening 2014, 60-65).

[3] Wellicht komt de filosofisch consulent in de casus(sen) over als iemand die erg zeker is van zijn zaak. Doorgaans zullen tijdens een consult veel meer (onuitgesproken) twijfels leven aan de kant van de consulent.

[4] Zie Veening 2002, 9-10 en Veening 2006, 10.

[5] Zie o.a. Poppers *Objective Knowledge* (1972), *The Self and Its Brain* (1977, 359) en *Autobiografie* (1978, 223).

[6] De '*waarneembaarheid*' van een element is vergelijkbaar met eigenschappen als '*opzitbaarheid*' (om bijvoorbeeld een stoel als stoel te kunnen (h)erkennen) en '*doorwaadbaarheid*' (om bijvoorbeeld een rivier als rivier te kunnen (h)erkennen). De '*waarneembaarheid*' van een element vormt dus een volwaardige metafysische of ontologische eigenschap. Aangezien '*waarneembaarheid*' als een *eigenschap* van elementen kan worden beschouwd, ontstaat er een metafysisch of ontologisch onderscheid tussen de elementen uit wereld 1 en wereld 3.

[7] Hier wordt met opzet over het *instrumentele gebruik* van de driewerelden-theorie gesproken, omdat de metafysische duiding er, met betrekking tot de Aristonide methodiek, niet toe doet. De driewereldentheorie laat zeer verschillende metafysische duidingen toe, van zeer materialistische (fysicalistisch) tot zeer idealistische (Platoons). Naast deze reductionistische invalshoeken zijn er ook meer holistisch georiënteerde duidingen mogelijk. Poppers eigen visie, waarbij wereld 2 emergeert uit wereld 1, en wereld 3 emergeert uit wereld 2, maar alle drie de werelden toch een werkelijk en autonoom bestaan hebben, is hier een mooi voorbeeld van.

[8] De oorspronkelijke theorie van Popper wordt door Veening afgekort tot 3Wt. In Veenings *r*evisie van deze theorie (3Wt-R) voert hij het begrip 'leefwereld' in om een deelgebied binnen een van Poppers werelden aan te kunnen wijzen. (Uitgedrukt in termen van de verzamelingenleer spreken we over een 'deelverzameling'.)

Het begrip 'leefwereld' (ook wel H(abitat)-domein genoemd) is naar eigen zeggen ontleend aan het werk van de fenomenoloog Husserl. Veenings revisie van Poppers theorie heeft zijn beslag gekregen in zijn proefschrift *Over de Werkelijkheid van Drie Werelden. Een pleidooi voor en een herziening van Poppers Driewerelden-theorie* (1998). Veening beoogt met de introductie van 'leefwerelden' meer interne structuur binnen Poppers werelden aan te brengen. Een mens is binnen de drie-wereldentheorie te beschouwen als de vereniging van drie verschillende 'leefwerel-den' of 'H-domeinen'. Immers, de mens leeft in alle drie de werelden. De bestude-ring van de relaties tussen Poppers werelden, Veenings 'leefwerelden' en alle entiteiten en gebeurtenissen die daar deel van uitmaken, hebben een tweede revisie van de driewereldentheorie (3Wt-R_2) opgeleverd. De resultaten van deze studie zijn beschreven in mijn proefschrift *De Emergentie en Evolutie van Drie Werelden. Tweede Revisie van Poppers Driewereldentheorie.* In afwijking van de Aristonide methodiek gaat het bij 3Wt(-R_n) om een metafysisch onderzoeksprogramma.

[9] Zie *Psychotherapie. Een wetenschappelijk perspectief* van Cuijpers (2012, 54).

[10] Zie voor een volledige plaatsbepaling van de emotie- en beginselenmoralen binnen de driewereldentheorie: http://www.worldforthinkers.com/2011/05/deplaats-van-de-ethiek-in-ontologieen-gebaseerd-op-poppers-driewereldentheorie/. Het boek *Filosoferen over emoties* van Miriam van Reijen is zeer geschikt voor wijsgerige verdieping in emoties.

[11] Veening 2014, 86.

[12] Singer 2001, 196-197.

[13] Singer 2001, 193.

[14] Singer 2001, 205.

[15] De keuze om een minister op te voeren in deze casus kan misschien als 'pe-dant' overkomen. (Een beleidsambtenaar op het ministerie van onderwijs bijvoor-beeld had natuurlijk ook gekund.) Het doel is te laten zien dat een filosofische re-traite voor *iedereen* geschikt kan zijn.

[16] Binnen wereld 1 en wereld 2 kunnen ook collectieve leefwerelden worden aangewezen. Zo vormen bijvoorbeeld de ervaringen, dromen, verwachtingen en waarnemingen van alle Nederlanders een zelfstandige leefwereld binnen wereld 2.

[17] Zie ook Popper 1972, 140-141.

[18] Een 'Als… dan…' constructie wordt in de symbolische logica met een hori-zontale pijl weergegeven. De bewering 'Als A dan B' wordt vertaald als 'A ⟶ B'. We krijgen nu, overeenkomstig de uiteenzetting van de filosofisch consulent, de vol-

gende correcte redenatie:

Premisse 1: $A \rightarrow B$

Premisse 2:   A

Conclusie: B

Het schema dat vaak wordt gevolgd door mensen maar in logisch opzicht niet klopt is: $A \rightarrow B$, gegeven B, de conclusie is A. Wat logisch gezien wel kan is de volgende redenatie: $((A \rightarrow B)$ en niet-B) $\rightarrow$ niet-A, de modus tollens uit de klassieke logica. (Even terzijde: het is dit schema waarmee Popper zijn falsificatie-principe heeft beschreven in *The Logic of Scientific Discovery*. Met de ontwikkeling van dit demarcatiecriterium werd zijn naam als wetenschapsfilosoof definitief gevestigd in de geschiedenis van de filosofie.)

[19] Zie Veening 2014, 65-66.

[20] Zie *De Emergentie en Evolutie van Drie Werelden. Tweede Revisie van Poppers Driewereldentheorie* (De Vries 2009, 170-171).

[21] De filosofe Joke J. Hermsen heeft met haar boek *Stil de tijd* (2009) nog eens aandacht voor dit onderscheid gevraagd.

[22] De relativiteitstheorie van Einstein laat zien dat het concept 'absolute tijd' (wereld 1) overbodig is. De tijd in wereld 2 is door het subjectieve karakter ervan per definitie relatief en niet absoluut.

[23] Wanneer de metafysische vraag wordt gesteld of deze drie soorten tijd daadwerkelijk bestaan, moet er worden onderzocht in hoeverre ze tot elkaar te reduceren zijn. Indien bijvoorbeeld de 'geconceptualiseerde tijd' reduceerbaar blijkt te zijn tot de 'beleefde tijd' die op zijn beurt weer reduceerbaar blijkt te zijn tot de fysische 'kloktijd', dan kan worden gesteld dat de geschiedenis van de totale werkelijkheid zich voltrekt binnen één soort tijd, namelijk de fysische 'kloktijd'. Alle entiteiten en relaties waaruit de werkelijkheid is opgebouwd bestaan dan in het 'weefsel' van de fysische 'kloktijd'. Aangezien er drie soorten tijd in het geding zijn, is er potentieel een aantal verschillende reducties mogelijk. Wanneer blijkt dat er geen enkele reductie mogelijk is, dan moet worden gesteld dat de totale werkelijkheid is opgebouwd uit drie soorten tijd. (In plaats van te spreken over een driewereldentheorie zou men het ook kunnen hebben over een 'drietijdentheorie'.) Het is hier niet de plaats om op deze metafysische kwestie in te gaan, maar de uiteenzetting van de driewereldentheorie in hoofdstuk II doet sterk vermoeden dat een dergelijke reductie niet mogelijk is.

[24] Zie ook Veening 2014, 142.

[25] Aristoteles, EN 1176b34-1177a.

[26] Zie *Het slimme onbewuste. Denken met gevoel* (Dijksterhuis 2008).

[27] Bij nauwkeurige bestudering blijkt dat het werk en de opvattingen van Slors geheel compatibel zijn met de tweede revisie van de driewereldentheorie (3Wt- R_2). Hier zal niet uitvoerig bij worden stilgestaan maar enkele algemene en ondersteunende opmerkingen voor deze bewering zijn gerechtvaardigd.

De opvattingen van Slors ten aanzien van het bewustzijn lijken impliciet een triadisme met zich mee te brengen. Hij onderscheidt namelijk naast de menselijke lichamelijkheid twee soorten bewustzijn, te weten a) een introspectief bewustzijn (Slors 2012, 123-124) en b) een reflectief bewustzijn (Slors 2012, 123). Deze twee vormen van bewustzijn lijken respectievelijk in de werelden 2 en 3 ondergebracht te kunnen worden.

Er is ook een aantal verschillen tussen 3Wt-R_2 en het werk van Slors aan te wijzen. Enerzijds is de theorie van Slors preciezer dan 3Wt-R_2 wat de rol van het onbewuste betreft bij de totstandkoming van onze handelingen en bij de totstandkoming van ons 'zelf'. Anderzijds is Slors losser in het gebruik van bepaalde terminologie. Zo spreekt hij bijvoorbeeld over het 'opborrelen' van 'langetermijnoverwegingen' en het 'opborrelen' van 'bewuste' uit 'onbewuste gedachten' (zie o.a. Slors 2012, 169, 174). In zijn werk wordt, in tegenstelling tot in 3Wt-R_2, niet onderzocht wat dit 'opborrelen' inhoudt en hoe dit in z'n werk gaat. De wijze waarop Slors het begrip 'opborrelen' gebruikt doet sterk vermoeden dat hier een vorm van emergentie in het spel is. Het fenomeen emergentie heeft een prominente plaats in de driewereldentheorie.

[28] Terecht merkt Slors op dat het 'nieuwe onbewuste' iets anders is dan het 'oude onbewuste' van S. Freud (Slors 2012, 63). Zie ook Dijksterhuis 2008, 35-47.

[29] Dijksterhuis 2008, 40.

[30] Zie voor een recensie van dit boek:
http://www.worldforthinkers.com/2012/06/ waarom-doet-bewustzijn-soms-pijn/.

[31] Zie Slors 2012, 173.

[32] Slors 2012, 173-174.

[33] Slors 2012, 68.

[34] Slors 2012, 141.

[35] Slors 2012, 171.

[36] Er zijn goede redenen te geven om het concept 'causaliteit' uitsluitend te ge-

bruiken voor interacties in wereld 1. Het begrip 'causatie' zou in het model van Slors vervangen kunnen worden door bijvoorbeeld het begrip 'teweegbrengen'. (Zie ook De Vries 2009, 214-222.) Het werk van Popper kan als ondersteuning voor de waarde van dit voorstel worden aangevoerd. Met betrekking tot wereld 1 spreekt Popper over 'causatie'. Wanneer het gaat over interacties waarbij de werelden 2 en 3 betrokken zijn spreekt hij over 'effects', 'influence(s)' en 'feedback- loops'. (Zie Popper 1972, 119; 155; 159.)

[37] Zie De Vries 2009.

[38] Zie Slors 2012, 141. De frase 'meer dan de som van een set (…)' geeft voeding aan de gedachte dat met de begrippen 'opborrelen' en 'ontspringen' emergente processen worden aangeduid. Kenmerkend voor emergente processen is dat *nieuwe* eigenschappen of entiteiten zich aandienen als een totaal dat *meer is dan de som der delen* waaruit ze zijn opgebouwd. (In 3Wt-R_2 is het begrip 'emergentie' nauwkeurig uitgewerkt tot vier verschillende vormen. Zie De Vries 2009, 234-237.) Het is, gezien de grondslag van de Aristonide methodiek, aardig te vermelden dat de bewering 'Het geheel is meer dan de som van de delen' afkomstig is van Aristoteles.

[39] Slors 2012, 132-133.

[40] Slors 2012, 132-134.

[41] Slors 2012, 117.

[42] De ontwikkeling van een soort 'filosofische diagnostiek' zou hier verandering in kunnen brengen. Zie Veening 2014, 135.

[43] Een goed leesbare verdediging van een naturalistische wetenschapsconceptie is het boek *Wetenschap of willekeur* van A.A. Derksen (1992).

[44] Propositionele attitudes zijn subjectieve mentale houdingen in wereld 2 ten aanzien van proposities (beweringen), concepten et cetera in wereld 3.

[45] Zie *De coach, de begeleider van de laatste mens?* (Wolbink 2012, 182-190, 299-303).

[46] Wolbink 2012, 301.

[47] Wolbink 2012, 302.

[48] *Tijdschrift voor Filosofie*, 73/2011, 307-340.

[49] Deze slogan is bedacht door Erno Eskens.

[50] Cuijpers 2012, 40.

[51] Zie *Het filosofisch consult* (2014) van Eite Veening. De *filosofisch practicus* Harm van der Gaag heeft eveneens de grondslagen van zijn gespreksvoering op

schrift gesteld. Echter, hij rekent zichzelf niet tot de beroepsgroep van filosofisch consulenten.

[52] Popper 1972, 181.

[53] Zie ook hoofdstuk V, paragraaf '*Verschillende soorten tijd*', laatste alinea.